Esgid Wag

Mared Lewis

DREF WEN

Cyhoeddwyd gan Wasg y Dref Wen,
28 Ffordd yr Eglwys,
Yr Eglwys Newydd, Caerdydd CF14 2EA
Ffôn 029 20617860

Argraffwyd ym Mhrydain.

I Mam, am bob dim,
ac er cof annwyl am Dad.

Hoffwn ddiolch i Dafydd am ei ffydd ynof fi bob amser, i Elis ac Iddon am eu hasbri,
ac i Catrin am ei gwaith golygu sensitif a'i hanogaeth.

Mae diolch hefyd yn ddyledus i ddau athro arbennig iawn a daniodd yr awydd ynof i sgwennu, sef y ddihafal Miss Nansi Jones, Ysgol Gynradd Bodorgan, a'r
diweddar J. Barrie Rowlands, fy athro Cymraeg ysbrydoledig yn Ysgol Gyfun Llangefni.

Hoffwn hefyd ddiolch i'r Academi am grant gynhaliol roddodd y cyfle i mi ddechrau gweithio ar y nofel hon.

hybu llên • literature promotion

MARED LEWIS

Ganed Mared ym Malltraeth, Ynys Môn, ac wedi cyfnod i ffwrdd ym Mhrifysgol Aberystwyth ac yna sbel fach yn yr Unol Daleithiau, mae hi bellach yn byw yn ôl ym Môn.

Mae hi wedi gweithio fel athrawes Saesneg ac yna ym myd addysg a busnes, ond bellach yn gweithio adra ar ei liwt ei hun. Mae wedi cyfrannu sgriptiau i gyfresi teledu fel *Pobol y Cwm* a *Rownd a Rownd* ers blynyddoedd, ac wedi sgwennu dramau a ddarlledwyd ar Radio Cymru.

Mae hi'n briod â Dafydd ac yn fam i ddau, Elis sy'n naw ac Iddon sy'n chwech oed.

Hon yw ei nofel gyntaf.

Pennod 1

Joyce

Aeth Joyce i lawr y grisiau'n gyflym, fel petai ganddi gant a mil o betha i'w gwneud. Doedd 'na'm ffordd arall o symud y dyddia yma. Rhuthro oedd yr unig ffordd i fynd drwy'r diwrnod. Ac roedd ganddi gant a mil o betha i'w gwneud go iawn. Byddai ei mam yn stwyrian yn fuan.

Ian fyddai'n deffro gynta bob bore erbyn hyn. Erstalwm, arferai fod yn drwm ac yn araf i symud pan oedd Mali'n pitran-patran i mewn i'r stafell a thynnu'n dacr ar lawes ei byjamas, "Dad! DAD!" ac ynta'n gorfod llusgo'i hun o gyfrinrwydd eu gwely i geisio ymateb i'r fechan oedd yn barod i chwara.

Ond rŵan, byddai Joyce yn deffro a chael Ian yn gorwedd ar ei gefn yn syllu ar y to, un llaw dan ei ben a'r llall yn hongian yn ddiymadferth dros ymyl y gwely. Fel pe bai'n dal i ddisgwyl i law fach Mali gropian i mewn i'w un yntau, fel deryn yn ffendio'i nyth.

Carai Joyce fedru gorwedd yno, yn syllu ar Ian heb iddo wybod, fel yr oedd hi'n arfer ei wneud. Carai fedru gwrando ar ei sŵn o'n cymryd ei wynt, ei garu am iddo fedru anadlu'n ymlaciedig braf fel'na efo hi. Roedd hi'n ei garu o am rannu'r un aer â hi erstalwm ... Ond cysgwr ysgafn oedd Ian bellach, hyd yn oed os oedd o 'di ca'l tipyn o anasthetig noson gynt, fel oedd o'n 'i alw fo. Roedd yn ymateb i'r cynnwrf lleia wrth ei ymyl – roedd hyd yn oed newid yn rhythm anadl Joyce yn ddigon iddo ddadebru ac estyn yn bwrpasol am y cloc, gan syllu arno mor gysglyd ag y medrai gogio. Thalai hi ddim iddo ymddangos yn rhy effro chwaith, rhag gorfod wynebu'r diwrnod ar ei anterth. Chymerodd Joyce ddim arni ei bod hi'n gweld drwy'r cwbwl. Roedd y ddau'n giamstars ar y gêm o gogio erbyn hyn.

"Panad?"

"E?"

“Panad! Ti’n barod am banad? Ta ti isio cysgu’n d’ôl …?”

“Ia, ’sa rhyw goffi bach yn reit neis …”

Wnaeth Joyce ddim ymdrech i siarad eto. Pa bryd y stopion nhw sbio ar ei gilydd wrth ddeffro’n y bora, tybed?

Aeth Joyce i’r gegin gefn, a dechrau hwylio hambwrdd ei mam. Roedd hi wedi dysgu bellach, ar ôl cael ei mam yn byw efo nhw ers blwyddyn gron, na ddylai fentro gofyn i’w mam fustachu i’r gegin am frecwast.

Doedd Joyce ddim wedi croesawu’r syniad o gael ei mam yn dŵad i fyw atyn nhw. Deud y gwir, roedd hi wedi brwydro yn erbyn y peth cyn belled ag y medrai ar y dechrau. Ond, yn raddol, roedd y cyfnodau da rhwng pyliau dryslyd ei mam wedi lleihau, a’r gwir plaen oedd ei bod wedi mynd yn ormod o fwrn ar bawb wrth fyw ar ei phen ei hun.

Pobol eraill oedd wedi awgrymu’r peth, neu o leia wedi lleisio’r hyn oedd Joyce yn ei deimlo. Modrybedd oeddan nhw; pobol yn teimlo’u hunain yn perthyn yn ddigon agos i basio barn, yn ddigon pell i beidio ysgwyddo cyfrifoldeb. Dyna oedd yn iawn, ’te? Merch yn edrych ar ôl ei mam fel roedd hithau wedi edrych ar ôl ei phlentyn cyhyd. A doedd dim dianc, gan mai unig blentyn oedd Joyce.

Yn raddol, heb yn wybod iddi bron, ildiodd Joyce i’r syniad. Dechreuodd feddwl y byddai’n braf clywed gwres a sŵn rhywun arall o gwmpas y tŷ; yn braf cael paratoi lle i dri wrth y bwrdd unwaith eto.

Digon tawedog y bu Ian ynghylch yr holl fater. Fel tasa fo ddim wedi sylweddoli’n iawn beth fyddai’r oblygiadau iddyn nhw tan iddo ddigwydd. A hyd yn oed rŵan, roedd Joyce yn cael y teimlad fod Ian yn croesawu cael rhywun arall yn y tŷ atyn nhw, yn lle fod y ddau yn gorfod bod eu hunain yn rhy amal.

Buan iawn y trodd y newydd-deb yn hen rwtîn rwgnachlyd, annifyr. Roedd ei mam yn cwyno uwch pob cam a roddai, yn bytheirio’r stepen o’r lolfa i’r gegin, yn gweld bai fod bwrdd y gegin mor bell oddi wrth y drws. Gwrthodai dderbyn braich Ian i’w hebrwng at y bwrdd; mynnai fod Joyce yn deall pa mor araf y dymunai symud, ac y byddai dyn yn siŵr o'i hebrwng ymlaen yn rhy sydyn o lawer.

Ar ôl rhyw fis o obeithio bob bora y byddai petha'n gwella, roedd Joyce wedi ildio a gadael i'w mam aros yn ei gwely. Efallai nad ar ei mam oedd y bai i gyd. Roedd y freuddwyd o gael y tri yn eistedd wrth y bwrdd, yn rhannu profiadau uwchben powlen o gornfflêcs, wedi bod yn rhy uchelgeisiol.

Roedd Joyce bellach wedi gosod yr hambwrdd efo'r tebot bach roedd ei mam wedi mynnu dŵad efo hi o'i chartra. Dim ond gwneud y te oedd rhaid ar ôl bod â choffi Ian i fyny iddo. Am ryw reswm y bore 'ma, rhoddodd flodau sidan melyn yn y potyn bach gwyn ar ymyl yr hambwrdd. Harddwch hirhoedlog, artiffisial. "Lot i ddeud dros hynny!" meddai Joyce yn uchel, a'i synnu hi ei hun braidd.

Roedd tôst Ian wrthi'n crasu. Byddai'n barod ymhen eiliadau. Gwnaeth baned o de tramp iddi hi ei hun wrth ddisgwyl, a throi'r bag te unig yn y gwpan yn synfyfyriol.

Ar ei ffordd at y bin efo'r bag te ar lwy, sylwodd Joyce ar y tamed papur ar lawr. Plygodd a'i godi, gan edrych yn frysiog arno, a chafodd gip ar enw a rhif ffôn cyn ei daflu i'r bin. Roedd yn rhaid iddi baratoi'r rhestr ar gyfer y diwrnod. Estynnodd am y padyn sgwennu o'i le arferol a dechrau arni: tabledi Mam o'r fferyllydd, talu'r papur, picio draw i 'Sbyty Ffraw i gael …

Yn sydyn, stopiodd popeth. Cododd Joyce y feiro rhyw fymryn uwchben y papur, a'i dal yno, fel pe bai ond blewyn rhwng y gwagle a chyffwrdd â'r papur, mymryn bach rhwng dim byd ac enw. Rhif ffôn rhyngddi hi a'i byd …

Gallai Joyce glywed grwndi diamynedd y rhewgell, gallai glywed y giât drws nesa'n gwichian a'r ci rhech bach yn mynd yn orffwyll wrth gael ei ollwng allan am dro cynta'r diwrnod. Eiliadau o sŵn prin oedd yn mynd ar goll fel arfer yn ras a rhuthr y dydd.

Doedd y tamaid papur heb fynd yn rhy bell i lawr i'r bin. Roedd yn rhaid i Joyce dorchi ei llawes rhag ofn, a llywio rhwng y bagiau te, pliciadau tatws, ffa pob oer y noson cynt … Falle petai'r tamaid papur wedi bod yn ddyfnach, i lawr yng nghrombil y bin, na fyddai Joyce wedi trafferthu. Falle. Wrth lwc, roedd yn dal yn lân. Edrychodd arno eto: CARYS oedd yr enw, a doedd Joyce ddim yn nabod y rhif ffôn. Cod ochra Caernarfon. Plygodd y papur yn ddestlus a'i wthio i boced ei gŵn nos.

Golchodd ei dwylo'n drwyadl, gan fwynhau tryloywder pur y dŵr rhwng ei bysedd. Roedd ogla tôst 'di llosgi ymhob man. Damia! Aeth at y bin sbwriel drachefn a chrafu'r tôst yn lân cyn ei daro ar blât.

Roedd hi eisoes wedi torri'r tôst yn drionglau bach del cyn iddi sylweddoli beth oedd hi'n ei wneud. Trionglau bach Mali oedd y rhain. Trionglau bach ddeng mlynedd yn rhy hwyr.

Eisteddodd i lawr yn drwm ar y stôl wrth y cowntar brecwast, wedi blino'n arw.

* * *

Doedd Joyce rioed wedi bod yr ora am wneud coffi, ac er ei bod yn llwyo'r un faint o goffi yn ofalus i fewn i'r gwpan pob tro, roedd yn mynnu amrywio. Rhy gry. Rhy wan, rhy debyg i de … Meddyliai weithia fod yna gynhwysion cyfrin mewn panad dda o goffi, cynhwysion y byddai ambell berson dethol yn unig yn gwybod amdanynt. Person dethol … Fflachiodd y rhifau ar y tamaid papur o'i blaen am eiliad. Ac enw'r person dethol …

"Hei, watsia be ti'n neud!"

Roedd 'na ffos fach frown wedi cronni yn y soser.

"Crych 'na'n y carpad eto. Dwi'n baglu bob tro …"

"Sortia i o," meddai Ian, gan ddylyfu gên, a symud gwydryn gwag y noson cynt o'r ffordd yn reddfol. Cymerodd gipolwg ar liw'r coffi yn y gwpan, ond chwynodd o ddim.

"Tôst 'di llosgi braidd, sori …"

"Dio'm ots … Sgin i'm awydd rhyw lawar o 'm byd ond y coffi …"

"Nagoes ma' siŵr …"

Cydiodd Ian ddim yn yr awgrym, ond newidiodd trywydd y sgwrs, yn ôl ei arfer, meddyliodd Joyce.

"*Mother* 'di deffro?"

"Chlywish i'm smic. Mi adawa i iddi hi bora 'ma."

"Oedd hi'n flin 'tha tincar ddoe ar ôl i chdi 'i chodi hi'n rhy fuan!"

"Ofynnish i am apwyntiad naw o'r gloch yn y clinig, Ian?"

"Naddo, ond deud dwi …"

"Fi ddudodd, dwi'n meddwl, te?"

Yr hen fregetan 'ma byth a beunydd. Bron nad oedd modd iddyn nhw dorri gair heb fod yna rhyw dro bach piwis yng nghynffon y frawddeg. Dim fel hyn oedd Joyce isio bod. Fu hi rioed yn un am ffraeo. Hi oedd yn arfer cadw'r ddesgil yn wastad, yn troi'r stori er mwyn osgoi gorfod bod yn gas, yn osgoi ennyn tempar neb arall. Ond roedd yr hen ffraeo 'ma wedi dod yn ran o fyw, rywsut, yn llechwraidd, heb iddi sylwi.

Edrychodd ar Ian. Roedd y clustog wedi gwneud llinell goch igam-ogam o gwmpas un ochr ei wyneb, fel craith. Pan oedd o'n ifanc, byddai lastig ei groen wedi lleddfu'r crych cyn iddi fedru sylwi. Neu falla 'i bod hi wedi bod yn ddall iddo yr adeg hynny, yn y llyfnu a'r gwasgu a'r cusanu ym melyster y bore cynnar. Rhedodd rhywbeth drwy Joyce am eiliad, fel llif drydan.

"Be sy?"

"Be?"

"Be sy'n matar? Ti'n sbio'n rhyfadd arna i."

"Ydw i?"

Doedd o ddim yn edrych ddim gwahanol i bore ddoe. Ddim yn ymddangos yn euog, ddim yn fwy gochelgar wrth edrych arni, ond fod y llygaid glas yna'n edrych yn dywyllach rhywsut. Ond doedd Joyce erioed wedi clywed am liw llygaid yn cael ei ddefnyddio fel arwydd o ddim byd.

"Gweithio heddiw?"

"Yndw! Ti'n gwbod mod i!"

Fo oedd yn craffu arni hi rŵan, yn edrych yn od arni, fel petai ganddi hi rywbeth i'w guddio, rhywbeth cyfrinachol roedd hi am ei wneud.

"Ti 'di bod yn cymryd amball ddiwrnod ffwrdd yn ddiweddar, yndo?"

"Dim mwy na dwi fod i ga'l!"

"Dwi'm yn deud hynny, jesd mod i isio tsiecio, 'na'r cwbwl."

"Tsiecio? Tsiecio be? Tsiecio fyny?"

Nid dychmygu'r natur bigog yn ei lais oedd hi. Roedd hi wedi clywed y dôn yma o'r blaen, droeon, ond roedd o'n fwy amddiffynnol bora 'ma – roedd hi'n siŵr nad ei dychymyg oedd yn deud hynny wrthi.

"Ddim tsiecio fyny ... Isio gwbod lle ydw i ... 'Swn i isio picio i'r dre heb Mam neu rwbath ..."

"I be?"

Roedd ei lygaid wedi culhau fwy byth, ac roedd yn edrych arni fel ditectif. Gallai Joyce glywed injan car yn pesychu tu allan ar y stryd, yn tagu mynd.

"I ddim! Sdim rhaid i mi neud bob dim i bwrpas o hyd, nagoes? Jesd mynd! Jolihóit!"

Camgymeriad. Lle ddaeth y gair yna fwya sydyn, tybed, fel godra pais yn wincio'n bryfoclyd o dan sgert ddu syber ...?

"Jolihóit?"

Doedd dim angen iddo ddeud mwy. Roedd ei agwedd nawddoglyd yn rhy amlwg. Aros adra fydda fo'n licio ca'l wneud rownd y rîl. A Joyce yn gneud unrhyw beth i beidio gorfod bod adra, yn tendio ar henaint.

Arhosodd hi ddim wedyn. Llwyddodd i gamu'n ddigon del dros y crych yn y carped gan adael Ian i wisgo amdano a mynd i lenwi sêt o flaen cyfrifiadur yn y gwaith.

Pennod 2

Ian

Ella'i fod o 'di swnio'n rhy effro. Ella ma' dyna oedd y drwg. 'I fod o 'di gofyn am banad o goffi fel tasa'r geiria 'di bod yn hepian cysgu ar ei wefusa fo, yn barod i gael eu pwnio mlaen ar amrantiad. Ond ddangosodd Joyce ddim ei bod wedi deall, er ei fod yn gwbod ei bod hi.

Roedd y car o'i flaen wedi symud i ffwrdd, a choch ei oleuadau'n wincio arno. Roedd Ian wedi bod mor freuddwydiol fel nad oedd wedi sylwi. Roedd yna rywbeth rhythmig, braf yn alaw ddigyfaddawd y weipars ar y ffenast. Roedd o fatha sŵn cledar llaw ei fam yn taro'n ysgafn ar ei gefn, a 'run blewyn o wahaniaeth mewn amseru rhwng un trawiad a'r llall. Roedd yna gysur digamsyniol yn mhatrwm rhywbeth nad oedd yn newid, beth bynnag fo'r amgylchiadau.

Rhyfadd. Doedd o byth fel arfer yn deffro'n fuan fel'na ar ôl cael cwmni Jack Daniels ar ddechra'u perthynas! Roedd hwnnw'n ffrind oedd yn cadw'n driw i chi drwy'r nos, yn eich cadw chi'n saff efo fo tan tua amser cinio. Dim ond wedyn y byddai'n llacio'i afael, a'ch llithro chi'n ara deg yn ôl i lwydni golau dydd. Hen fasdad oedd hwnnw 'di mynd erbyn hyn hefyd, yn troi'i gefn ar Ian a'i wthio oddi wrtho'n llawer rhy fuan. Pump oedd hi bora 'ma. Pump o'r gloch y blydi bora. Yr un fath y noson cynt, a'r noson cyn hynny. Fel tasa 'na ryw gynllun dieflig i'w ddeffro fo a throi diwrnod oedd yn teimlo'n ddiddiwedd fel oedd hi, yn ddiwrnod hirach byth.

Roedd hi'n effro 'fyd, ers sbelan. Joyce. Fasa fo 'di gallu estyn allan ati, yn basa? Cyffwrdd ei hysgwydd a'i gweld hi'n troi'n hannar cysgu fel 'na, a chwsg yn 'i gneud hi'n harddach nag erioed rhywsut. Roedd cwsg yn ei hanwylo, yn ei gwneud hi'n fengach, a'i gwallt gwyllt yn ymestyn yn donnau dros y clustog, a'i bronna'n chwara mig o dan ei choban, yn tyfu'n bigog o dan y defnydd sidan wrth iddi ei weld o'n sbio arni hi ... Yn y bora y byddan nhw'n arfer caru orau; y ddau ohonyn nhw wedi ymlâdd gormod y noson cynt i neud dim ond syrthio'n drwm i'r gwely. Ond yn y bora ... a'r ddau ohonyn nhw'n felys gysglyd, yn clymu a datglymu o freichia'i gilydd, eu symudiada'n llyfn, yn toddi o un i'r llall, fel nofio dan dŵr ... Yr adag honno oedd ora. Roedd Ian yn teimlo'n nes at Joyce yn y bora cynnar nag ar unrhyw adeg arall, bron. Fo oedd ei phia hi eto, heb orfod ei rhannu. Efo fo roedd hi isio bod, neb arall.

Falla mai'r caru greddfol, di-hid yna oedd o'n 'i golli fwya. Caru er mwyn caru, nid caru er mwyn cysur. Swnio'n rêl basdad, doedd? Colli'i hogan fach, a fynta'n galaru am y gwthio plygeiniol rhyngddo fo a Joyce. Ond nid dyna oedd o. Colli'r normalrwydd yr oedd o. Colli bywyd fel ag yr oedd o cyn iddi hi fynd. Colli petha fel oeddan nhw.

Llenwi'r gwagle oedd y ffraeo 'ma. Llenwi twll mawr distaw efo sŵn rhag ofn iddyn nhw orfod cymryd gormod o sylw ohono fo. Ond roedd 'na rywbeth gwahanol am Joyce y bora 'ma. Rhywbeth oer yn ei llais. Fel tasa hi'n cuddio rhywbeth ...

Stopiodd y car yn stond eto dan orchymyn set arall o oleuadau coch.

Pennod 3

Joyce

Doedd gan Joyce mo'r awydd lleia i gario'r hambwrdd fel morwyn ar hyd y landin cul at stafell wely ei mam. Doedd yr orchwyl heb ddŵad fymryn yn haws iddi. Feiddia hi ddim cyfadda wrth neb, wrth gwrs.

Cnociodd ar y drws yn ddeheuig gan geisio cadw cydbwysedd yr hambwrdd. Dim ateb. Gwthiodd Joyce y drws ar agor efo'i choes a mynd i mewn yn ddistaw. Roedd ei mam yn cysgu.

Dyma'r adeg pan fedrai Joyce garu ei mam fwya; roedd rhai'n dweud yr un fath am eu plant. Edrychodd ar y cudynnau hir yn gorwedd ar y gobennydd, y geg fain biws yn troi i lawr yn enfys fach ddigalon, y rhychau wedi ymlacio tipyn dros y talcen, y llygaid ar gau.

Ar yr adegau hyn, gallai Joyce ddŵad yn agos at deimlo cynhesrwydd at ei mam. Roedd henaint llonydd, tawedog fel hyn yn hardd yn ei hagrwch, yn gysur yn ei anocheldra. Dyma ffawd pawb, dyma'r cerflun tawel urddasol o henaint y gallai pawb edrych arno a'i gymryd i'w galon. Mam go iawn oedd hon. Yn fam i Joyce ac yn fam i bawb; Y Fam glasurol yn gorwedd yno'n destament i'r drefn.

"Ast goman!"

Petai'r sŵn wedi cael ei droi i lawr, prin y byddech yn gwybod fod y llygaid wedi agor, ond fod y glas golau'n bygwth gorlifo allan i'r hollt denau rhwng yr amrannau. Y geg oedd yn ei bradychu. Roedd y traed brain wedi dyfnhau, wedi dyblu o ran nifer, yn naddu'n ddwfn ac yn biwis o gwmpas ei gwefusau.

"Ast goman!"

Rhoddodd Joyce yr hambwrdd i lawr yn ddiseremoni ar y bwrdd cyfagos a cheisio bagio'n ôl drwy'r drws cyn gynted ag y gallai, ond roedd hi'n rhy hwyr. Roedd y fam wedi straffaglu ar ei heistedd ac yn edrych ar Joyce, ei llygaid fel cyllyll.

"Hwrio tan yr oria mân, agor dy goesa i bob mwnci newydd

glywad ogla ar ei ddŵr ...!"

"Peidiwch â bod yn wirion 'wan; dowch, fydd 'ch te chi'n oeri ..."

Hon oedd y thema ddeuai amlaf ar ôl i'w mam gael ei deffro o'i thrwmgwsg. Roedd wedi bod yn breuddwydio, ma' raid, breuddwydio ei bod ynghanol dwrdio'r hogan ifanc na fuodd Joyce erioed. Yn ei chynddaredd gorffwyll, ni wyddai ac ni faliai'r fam am wirionedd. Roedd yr emosiwn yn rhyferthwy, yn rasio drwy sychder ei hesgyrn, yn floedd o atgasedd ar ei gwefus, yn bŵer amheuthun mewn corff diymadferth.

"Hwrio, hwrio, hwrio, dwyn gwarth ar dy dad a finna ...!"

"Tôst a marmalêd lemwn ... a mwy o de yn y pot ...!" meddai Joyce yn ddistaw, fel tasa hi'n adrodd padar. Padar i gadw'r ysbrydion drwg o'r trothwy ... tôst a marmalêd lemwn a mwy o de yn y pot! Roedd hi'n ddynes yn ei hoed a'i hamser, bron yn ddeugain, ac yn dal i allu peri i hogia ugain oed droi eu pennau ... A dyma hi'n bathetig o flaen ei mam orffwyll, yn cynnig tôst a marmalêd yn offrwm yn erbyn ei chynddaredd annealladwy.

Tôst a marmalêd lemwn, a mwy o de yn y pot! Tôst a marmalêd lemwn, a mwy o de yn y pot! Ailadrodd ac ailadrodd i fygu'r geiriau hyll, ac yn y diwedd byddai ei mam yn tewi ac yn edrych ar yr hambwrdd, yn edrych yn ôl ar Joyce, yn gwenu ac yn estyn am y tôst.

"Sut dywydd 'di hi?"

Y llygaid yn pefrio fatha rhai hogan fach, a'r bennod yna drosodd am y tro.

Peth rhyfadd ydy henaint, yn troi pob dim tu chwith. Mam yn troi'n blentyn, plentyn yn fam. Falla fod pawb yn meddwl y byddai gofalu am ei mam yn rhyw fath o wobr gysur i Joyce ar ôl diflaniad Mali. Ddywedodd neb hynny, wrth gwrs, ond roedd yr olwg yn llygaid y perthnasau 'saff' eraill yn gyforiog o hynny. Yn eu seicoleg cefn gwlad, roedd pawb yn meddwl y gallai Joyce drosglwyddo peth o'r galar o golli ei hogan fach i'r byd mawr tu allan i ffiniau'r ardd gefn. Cyfnewid gofal dros un fach ifanc am hen grimpan lwyd oedd yn gancr ar y tŷ i gyd. Yn hen ast erioed, ond yn hen ast efo Alzheimer's rŵan, a rhywsut felly yn deilwng o gydymdeimlad pawb.

Doedd Joyce erioed wedi deall sut roedd hap a damwain cemegol yn golygu ei bod i fod i garu ei mam drwy bopeth. Caru drwy losg y gelpan ar draws boch yn nyddiau staccato ei glaslencyndod. Caru drwy'r dyddiau maith oer rheiny pan oedd ei mam yn ei chau allan o'i byd, pan oedd y cwpwrdd bwyd ar agor, a breichiau ei mam ynghlo. Caru drwy'r pnawniau gwlyb pan oedd ei mam wedi ei chloi ei hun i mewn yn y gegin efo'i radio, a hithau'n hogan fach chwech oed yn betrusgar ar y cyrion, yn mentro i mewn i stafell wely ei mam fel lleidr yn mentro i fangre gysegredig tŷ rhywun arall.

Cofiai Ruth y wefr o weld y minlliw fel bwledi ar y seidbord. Cofiai'r brwsh gwallt gorau yn hardd ar y bwrdd ymbincio, a'r potiau bach o golur wedi'u gosod yn filwrol drefnus o flaen y drych. Wrth edrych i mewn i'r drych diemwnt, roedd y Joyce ifanc wedi meddwl am eiliad fod 'na fwy o golur eto yr ochor arall, fod 'na stafall go iawn oedd y tu wynab allan i stafell ei mam. Roedd hi hyd yn oed wedi mentro eistedd ar y sêt o flaen y drych, a dychmygu falla mai hogan fach go iawn oedd yn edrych yn ôl arni, gyda smotyn o dan y llygad chwith yn lle'r llygad dde. Falle y byddai gan yr hogan arall fam efo gwallt du sgleiniog fatha gwallt mam ei ffrind, Ela. Falle y byddai'r fam arall yn cerdded i mewn i'r stafell arall toc a rhoi ei breichiau am ei merch, a deud fod yna deisen yn y popty a pheli bach amryliw oedd yn disgwyl i'r hogan fach gael eu harllwys ar dop yr eisin ...

Ond wrth i'r Joyce fach chwemlwydd edrych i fyw llygad yr hogan fach arall efo'r smotyn bach brown o dan y llygad chwith, gwyddai nad oedd teisen yn y popty iddi hithau chwaith go iawn. Ac mai ar frys cynddeiriog y deuai ei mam hithau hefyd i mewn i'r stafell a thynnu pen yr hogan fach yn ôl gerfydd ei gwallt.

Wrth fynd yn ôl i'r gegin, cafodd Joyce ei llethu am eiliad gan y digalondid. Eiliadau prin oedd y rhai hapus rhwng un tymhestl a'r llall y dyddia yma. Fatha gweld cip o awyr las mewn cynfas o awyr lwyd. Glas fel godrau sgert hogan fach yn diflannu rownd cornel.

Pennod 4

Ian

Roedd y maes parcio o flaen y swyddfa'n wag, heblaw am gar mawr Malc y bòs a chwpwl o'r fania segur. Teimlai'n falch na fyddai'r hogia i gyd yn stelcian yn y gegin fach gul pan fydda fo'n mynd yno i neud y banad ddefodaidd o goffi cyn dechra. Roedd 'na hwyl i ga'l, ac Ian gyda'r gorau am dynnu coes a phryfocio. Ond doedd ganddo mo'r mynadd heddiw.

Roedd yn gas ganddo fod yn hwyr – ond roedd Malc yn foi digon rhadlon, a chyn belled fod Ian wrth 'i ddesg cyn naw, ac yn aros yn hwyr petai rhaid, roedd yn fodlon. Ond roedd Ian yn awyddus i beidio â'i siomi. Doedd o ddim wedi anghofio mor dda y bu Malc wrtho yn yr wythnosau du rheiny pan oedd Ian yn 'i chael hi'n anodd i roi un droed o flaen y llall. Roedd Malc wedi deall, wedi gadael iddo pan oedd raid, ac wedi bod yno iddo pan oedd isio bod. Malc ofalodd 'i fod o'n ca'l joban yn yr offis.

Fedra Ian byth fod wedi mynd yn ôl i yrru'r fania fel oedd o'n arfar. Dyna oedd pawb yn ei feddwl, ac Ian yn eu plith. Byddai hynny'n golygu codi cyn cŵn Caer, ac o bosib teithio Prydain am ddeuddydd neu fwy ar y tro, gan gysgu ar y fatras yng nghefn y fan. Fedra fo ddim fod wedi gwneud hynny i Joyce. Roedd Ian yn siŵr fod Joyce yn falch o gael ei bresenoldeb, yn enwedig ar y dechrau.

Ond wedi i Edna, mam Joyce, ddŵad atyn nhw i fyw, ffeindiodd Ian ei hun yn dechrau breuddwydio eto am gael bod yn frenin ar ei fan ei hun, am gael teithio'r wlad ymhell oddi wrth bawb a phopeth. Ac roedd wedi dod i benderfyniad. O leia, roedd wedi teimlo fel penderfyniad y bora 'ma yn 'i wely. Rŵan, rhywsut, doedd o ddim mor siŵr.

"Pawb 'di troi fyny?"

Trodd Malc oddi wrth y cwpwrdd ffeilio am funud.

"Do, 'wan!" medda fo, a gwên fawr ar ei wyneb. Roedd Ian yn ei nabod yn ddigon da i wybod nad oedd 'na falais yn perthyn iddo.

"Anghofish i'n sbectol haul, 'chan!" meddai Ian, gan gymryd arno cuddio'i lygad rhag y tei llachar a wisgai Malc.

"Ti'm yn nabod steil, boi – 'na dy ddrwg di!" meddai Malc, gan dynnu'n chwareus ar odrau coler crys Ian. "Pam ti'n meddwl mod i'n cuddio chdi'n fan'ma? Fatha rhyw hen nain 'sa neb isio'i gweld!"

"Gin i un o'r rheiny adra!" medda Ian yn chwim, ond doedd Malc ddim bellach yn gyfforddus gyda chyfeiriad y sgwrs, a thawodd, chwarae teg iddo.

Mab yr hen foi gychwynnodd y busnas oedd Malc. Roedd Ian wastad yn meddwl ei fod yn gwisgo fel tasa fo'n fwy cyfforddus mewn banc reit swanc tua ochra Caer, yn hytrach nag mewn rhyw derapin blinedig yr olwg tu ôl i gae ffwtbol Bangor. Nid heddiw oedd yr unig ddiwrnod iddo fentro i'r gwaith efo tei reit anturus, ac roedd siâp ei goler bob amser yn ffasiynol.

Â phob clod iddo, doedd o ddim wedi pwyso'n ôl ar ei rwyfa efo'r busnas fel roedd Ian wedi gweld sawl mab i fòs yn neud. A deud y gwir, roedd cwmni Ambrose Deliveries yn dechrau mynd â'i ben iddo ymhell cyn i Cliff, y tad, benderfynu ymddeol a gadael ei fusnas i'w fab. I Malcolm roedd y diolch fod y busnas wedi ehangu yn y pum mlynedd diwetha, nes bod Ambrose Deliveries yn un o'r prif gwmnïau dosbarthu nwyddau yng ngogledd Cymru erbyn hyn. Ond nid Ambrose Deliveries oedd yr enwau ar gefnau'r faniau heddiw chwaith; roedd Malc wedi penderfynu fod yr enw hwnnw'n gwneud i rywun feddwl am ddyn bach efo cap stabal yn delifro bara ar gefn beic. "MA DISTRIBUTION" oedd enw'r cwmni bellach, ar ôl Malcolm Ambrose, wrth reswm. Ac er fod ambell un o'r hogia wedi grwgnach tipyn ar y dechrau, buan iawn y cafodd yr enw, a'r bòs newydd, ei dderbyn.

"Ma' Gareth a Moi 'di mynd am Fanceinion efo'r delifri wnaethon ni sortio neithiwr." Erbyn hyn roedd Malc wedi croesi at y map enfawr oedd yn gorchuddio un wal. Roedd Ian wastad yn credu mai map fel hyn fyddai gan y cadfridogion yn ystod yr Ail Ryfel Byd i drefnu'u hymgyrchoedd.

"A ma' nhw am fynd i gyfeiriad Harrogate ar 'u hunion wedyn?"

"Dyna dwi 'di ddeud. Mi sbarith i ni orfod cyboli wsnos nesa, a welis i rioed 'run cwsmar yn cwyno bod petha'n rhy gynnar, nest ti?"

"*Bed and breakfast* champion ochra Harrogate 'na ... llond plât o facwn ac wy, faint fynnir o goffi wedyn, a hwnnw'n goffi da ..."

"*Bed and breakfast* yn gefn fan fydd rhein yn ga'l!" medda Malcolm. Roedd o eisioes wedi troi i ffwrdd, ac yn ymbalfalu yng nghrombil y cwpwrdd ffeilio eto.

"Dwi'n colli crwydro, sdi ... fi a'r lôn o mlaen, miwsig lond y cab ..."

"Mmmm?"

Efallai ei fod wedi mynd rhy bell, meddyliodd Ian. Penderfynodd gau ei geg. Doedd hi ddim fel Ian i fod mor gynllwyngar, i hau hedyn syniad gan obeithio y byddai'n tyfu. Gwyddai y byddai Malc yn ymateb yn well i awgrym fel hyn yn hytrach na chwestiwn uniongyrchol. Falla fod Ian wedi deud digon yn barod. A phe bai'n onest, roedd rhan ohono'n hanner gobeithio nad oedd Malc wedi ei glywed. Taniodd Ian y cyfrifiadur.

Pennod 5

Joyce

Doedd hi ddim wedi bwriadu mynd mor bell. Ei bwriad oedd mynd ar ôl cinio cyn belled â'r giât yn unig a chael llond sgyfaint o awyr oer Chwefror. Roedd Joyce yn licio cael dengid am bum munud bob hyn a hyn – cael pwyso'i bol yn erbyn oerni'r giât haearn, a chau pob dim allan ond am deimlad y metel yn erbyn ei stumog.

Roedd ei mam wedi bod yn bigog eithriadol drwy'r bora, fel tasa'r cymylau oedd yn hel yn glympiau uwchben y tŷ rhywsut yn fygythiad personol iddi. Bu'n eistedd yn lwmp ar y gadair wrth y ffenast, yn sbio fyny ar yr awyr ac yn bytheirio dan ei gwynt.

Wrth i fiwsig newyddion hannar dydd waltsio i lawr y cyntedd, roedd Joyce wedi dal ei mam yn tywallt lemonêd yn araf ar ben y Geraniums, yn ofalus i beidio colli 'run dropyn.

"Mam ... ddim fel'na, naci?"

"Rhen betha bach ..." meddai ei mam, a'r tynerwch annisgwyl yn ei llais yn mynd ag anadl Joyce am eiliad. "Rhen betha bach, yn tagu isio diod ..."

Wrth i Joyce geisio gafael yn ei garddwn yn ofalus a gafael yn y botel ar gyfer ei thynnu i ffwrdd, clodd bysedd ei mam yn dynn am y botal lemonêd. Fel babi bach newydd yn gafael yn dynn am fys. Roedd y ddwy wedi rhythu ar ei gilydd, a'i mam yn sgyrnygu ar Joyce fel petai hi'n trio dwyn popeth da oddi arni.

Doedd 'na neb o gwmpas. Roedd hi'n hen amsar dim byd; prysurdeb amser cinio wedi cilio, yn rhy fuan eto i'r plant ddŵad adra o'r ysgol. Doedd Joyce ddim yn mentro allan pan ddeuai'r plant lleiaf yn gynffonnau i'w rhieni, yn sŵn ac yn fwrlwm i gyd. Roedd hynny'n dal yn rhy boenus. Ond roedd hi'n mynd at y ffenast weithia i sbio ar y plant hynaf yn ymlusgo tuag adra, bag ysgol du fel maen ar gefn pob un. Cyffredinedd yr olygfa oedd yn apelio ati. Hoffai ddychmygu teuluoedd bach yn pentyrru'n llwglyd rownd y bwrdd te: bechdan jam, diod oren, creision a'r "Sut aeth hi'n 'rysgol heddiw?" ... Ymbalfalodd Joyce yn ei phoced am y sigarét a'r bocs matsys, yna clywed y fatsien yn taro'n siarp yn erbyn y llonyddwch.

Hen fflachod o slipars oedd gan Joyce am ei thraed; doedd hi ddim yn bwriadu mynd ymhell. Doedd hi ddim hyd yn oed yn gwisgo côt. Be wnaeth i'r hen fflachod ei gyrru mlaen i ben draw'r lôn, at y gornel? Roedd hi mor braf cael bod allan, a'r gwynt yn finiog ar ei bochau. Roedd hi'n teimlo rhyw gysylltiad efo'r tŷ o hyd; heb fynd yn rhy bell, heb fradychu neb, dim ond picio i ga'l smôc, i ga'l cipolwg ar y byd tu hwnt i'r bedair wal uffernol 'na. Fyddai neb yn dengid heb gôt, na fyddan? Neb yn gadael neb arall i lawr wedi ei gwisgo mor dila?

Sylwodd hi ddim am sbel ei bod yn dechra bwrw. Roedd hi wedi cyrraedd tŷ'r Taylors ac wedi rhoi o-bach i'r hen labrador mawr melyn oedd wedi drybowndian tuag ati, yn ysgwyd ei gynffon yn wyllt.

"Paid â deud, 'rhen gi, paid â deud gair!"

Roedd y ci wedi ysgwyd ei gynffon yn sicr, wedi licio'r cynhesrwydd yn ei llais. Paid â deud. Roedd 'na hud mewn cyfrinach, rhywsut; hyd yn oed mewn hen gyfrinach oedd yn gneud i chi deimlo'n sâl tu mewn. Yr hud o wybod eich bod mewn cysylltiad cyfrin efo rhywun oedd o, siŵr o fod.

Roedd hi wedi bwriadu gofyn yn syth i Ian, heb adael i'r syniadau geulo fel hen waed yn ei phen. O'r funud y gwelodd hi'r tamaid papur yn grychlyd i gyd ar ôl ei ddihangfa o'r bin, roedd hi wedi ymarfer sut i neud – pan oedd hi'n mynd â'r baned fore iddo yn ei wely, gosod y tamaid papur yn ddidaro ar yr hambwrdd, ei sticio efo selotêp ar y jwg lefrith ... Neu pan oedd Ian yn eillio yn y stafall molchi, byddai hithau'n dod tu ôl iddo ac yntau'n ei gweld yn y drych. Byddai Ian wedi deall yn syth o'r golwg ar ei hwyneb fod y gêm ar ben. Ei bod yn gwybod am yr affêr. Byddai'r gwir yn ei daro wrth iddo sefyll yno, ac ewyn y sebon eillio yn dechra sychu ar ei ên.

Roedd pob dim yn gneud synnwyr. Pam bod Ian wedi

ymneilltuo i ben draw'r gwely, heb gyffwrdd ei hysgwydd yn obeithiol rhagor. Doedd o ddim hyd yn oed yn gwneud hynny. Pam ei fod yn mynd yn flin ac yn gas efo hi bob tro y byddai'n holi lle buo fo ar ôl ei ddiwrnod gwaith, neu os buo fo allan yn cael cinio efo'r hogia'n y Goat. Cwestiynau diniwed oeddan nhw gan Joyce, ond roedd Ian yn gor-ymateb, gallai Joyce weld hynny rŵan. Ymateb rhywun euog.

Nid bwrw glaw cyffredin oedd hwn. Roedd eisoes wedi troi'n genllysg erbyn i Joyce sylwi'n iawn arno. Deuai'r cenllysg i lawr yn unionsyth, fel llen fwclis. Roedd 'na len fwclis yn nhu draw siop Dicw pan oedd Joyce yn hogan fach 'fyd; llen fwclis liwgar yn gwahanu byd y caffi a byd y siop. Roedd pawb yn medru clywed a hyd yn oed gweld pob dim oedd yn digwydd yn y caffi o'r siop, a'r chwaraewyr pŵl yn gwybod hyn wrth berfformio eu dawns ddefodaidd o gwmpas y bwrdd. Ac felly rŵan, er nad oedd y cenllysg yn cuddio Joyce oddi wrth y byd na'r byd oddi wrthi hithau, rhywsut roedd o'n eu gwahanu rhyw fymryn. Ac roedd y gwahanu hwnnw'n gneud i Joyce deimlo'n braf tu mewn.

Cododd ei phen at i fyny, a'r cenllysg yn rhaffu o'i chwmpas, yn ddistaw ac yn sicr. Fel tasa Joyce wedi torri ar gymesuredd, ar berffeithrwydd y llinellau syth o eira wrth godi ei phen, dechreuodd y peli sbydu a gwahanu i bob cyfeiriad. Doedd 'na'm trefn, roedd pob dim wedi ei newid, a'r peli bach perffaith eisoes yn dechrau toddi wrth lanio ar y palmant. Wrth deimlo'r cenllysg yn hyrddio'n galed ar ei hwyneb, sylweddolodd Joyce yn yr eiliad honno mai dyma'r tro cynta iddi deimlo rhywbeth go iawn ers tro byd.

Roedd y tamaid papur ym mhoced ei throwsus; estynnodd amdano a'i agor allan. Roedd o wedi'i blygu fel fod y plyg yn stumio'r rhif naw i edrych fel saith. Un rhif, meddyliodd. Un rhif yn gneud y gwahaniaeth rhwng bod yn ddi-euog ac yn euog. Daliodd Joyce y papur i fyny i'r awyr, fel offrwm. Dechreuodd glas yr inc redeg ar unwaith.

* * *

Welodd Joyce 'run enaid ar y ffordd yn ôl i'r tŷ, diolch byth. Sylweddolodd fod ei chardigan yn socian a'r cenllysg yn gneud i hyd yn oed y Labrador ei gwadnu hi am adra. Erbyn hyn, roedd 'na garped ysgafn o wynder wedi dechra glynu ar y stepan drws, wedi dechra aros ar y llwybr.

Roedd y gwlybaniaeth yn treiddio i'w hesgyrn, a meddyliodd Joyce yn drist na fyddai'r fflachod slipars byth yr un fath eto. Yn ddiweddar, roedd hi wedi magu rhyw ymlyniad afresymol at geriach bach bob dydd, ac yn teimlo rhyw chwithdod hollol hurt wrth i bethau ddod i ddiwedd eu hoes. Roedd 'na elfen ohoni erioed wedi methu'n glir â deall sut y gallai pobol werthu cynhwysion eu bywydau ar fwrdd bach simsan mewn sêl cist car.

Pan agorodd y drws roedd 'na barti i un ar ei anterth. Roedd hi wedi bod mewn sawl parti efo llai o sŵn ynddo, beth bynnag. Llais Owain Gwilym a'r hogyn bach clên arall 'na oedd yn diasbedain oddi ar y waliau, a'r miwsig gan ryw grŵp lled-gyfarwydd yn dechra curo'n rhythmig allan o'r sgwariau lliwgar ar y papur wal.

"Ca'l parti dach chi?" Dim ateb. "Mam?"

Erbyn hyn roedd Joyce wedi cyrraedd y lownj, a dyna lle oedd Mam yn chwyrlïo rownd a rownd a rownd, hen liain bwrdd wedi'i daenu'n grand dros ei sgwyddau, a'r papur newydd roedd Ian wedi'i blygu'n ofalus cyn gadael am y gwaith wedi'i osod ar ei phen, fel to ar ben tŷ bach. Doedd 'na ddim cysylltiad o gwbwl rhwng symudiadau ei chorff a rhythm y miwsig o'r radio; roedd ei mam yn amlwg yn nes at Schubert na'r Stereophonics.

Chymerodd ei mam ddim sylw ohoni i ddechra, a steddodd Joyce ar fraich y gadair fawr ac edrych arni. Roedd llygaid ei mam ynghau, a'i cheg hi'n symud 'nôl a mlaen, fel tasa dim rhaid iddi ynganu'r geiriau oedd wedi hel fel petha-da ar ei thafod. Falla nad oedd y sŵn yn rhy uchel iddi hi. Falla mai cân hollol wahanol oedd ganddi y tu mewn i'w phen, cân oedd yn cyd-fynd yn berffaith efo symudiad hardd ei hen esgyrn.

Doedd edrych ar ei mam fel hyn ddim yn union fel mam yn gwylio ac yn dotio ar ei phlentyn yn symud. Roedd 'na fwy o ryfeddod yn hynny, mwy o swyn. Rhythu heb ddeall oedd Joyce, yn methu deall na chydio yn y ffaith fod ei mam yn gallu bod mewn byd arall o flaen ei llygaid.

"Braf arni! Blydi braf!"meddyliodd Joyce.

Canodd cloch y drws ffrynt, gan achosi i Joyce neidio o'i chroen. Edrychodd ar ei wats yn wyllt. Meddyliodd nad oedd hi'n amser i Ian ddŵad adra o'r gwaith eto, cyn rhesymu wrth ei hun eto na fyddai hyd yn oed Ian yn ddigon alltud i orfod canu cloch drws ffrynt ei dŷ ei hun.

Ella mai rhyw dinc o gân ar y radio oedd yn rhoi'r un sŵn â chloch drws. Roedd hynny wedi digwydd o'r blaen, a Joyce wedi mynd at y drws i'w agor a neb yno. Hen deimlad annifyr oedd hynny. Teimlo'n anesmwyth ac wedyn teimlo'n dwp am fod yn ddigon gwirion i gael ei thwyllo. Os twyll hefyd. Roedd twyll yn awgrymu fod y peth yn fwriadol. Fod rhywun wedi canu'r gloch a rhedeg i ffwrdd.

Redd yr ail gloch yn ddigamsyniol. Cododd Joyce oddi ar fraich y gadair a mynd i'w ateb, gan adael ei mam yn siglo 'nôl a mlaen.

Gallai Joyce glywed ei thu mewn yn gwegian. Doedd hi ddim yn licio wynebu pobol erbyn hyn, a hithau wedi bod yn rhywun oedd yn arfar teimlo'n ddigalon petai hi ddim yn cael ocsigen sgwrs pobol eraill bob hyn a hyn.

Roedd yn gas gan Joyce y ffordd roedd pobol yn sbio arni ers i Mali ddiflannu. Roedd eu cydymdeimlad yn codi pwys arni. Petaen nhw wedi trafod Mali'n agored efo hi, hwyrach y byddai pethau wedi bod yn haws. Ond fel ag yr oedd hi, roedd eu hymgais annaturiol i geisio sôn am bob dim dan haul heblaw plant yn gneud Joyce yn fwy blin. Teimlai fod ei phresenoldeb wedi difetha noson allan iddyn nhw; fod y ffaith ei bod hi yno yn eu hatgoffa o ochr dywyll bywyd.

Roedd yn well gan Joyce fod adra na hynny. Ac roedd yn gas ganddi fod yn sownd rhwng pedair wal hefyd. Roedd hi fel anifail gwyllt yn cerdded ffiniau ei gaets, yn ffyrnig o gael ei gloi i mewn, allan o'i gynefin. Ac eto y funud y byddai'n cael ei ryddhau allan i'r gwyllt, byddai'n sylweddoli mai'r caets oedd ei gynefin go iawn, ac na fyddai'n gallu byw yn hir y tu allan i'r barrau.

Doedd hi ddim yn adnabod y ffurf yn ffenast gymylog y drws ffrynt, ac roedd hynny'n rhyddhad. Roedd yn llawer haws bod yn ffwr-bwt efo rhywun oedd yn gwerthu ffenestri dwbwl neu'n trio ei hachub drwy ddangos y ffordd i'r nefoedd iddi. Roedd hi'n teimlo fymryn yn ysgafnach wrth agor y drws, felly.

Hogan ifanc ddel oedd yn sefyll yno, ei gwallt syth yn fframio'i hwyneb. Sylwodd Joyce fod y clustdlysau bach chwaethus yn y ddwy glust yn dal rhyw belydryn o olau diwedd dydd oedd wedi penderfynu ymwthio drwy'r cymylau eira. Falla fod gwynder yr eira hefyd yn taflu rhywfaint o lewyrch. Os mai gwerthu clystdlysau mae hon, meddyliodd Joyce yn sydyn wrthi ei hun, mi gymera i ddeg pâr ganddi, dwsin! Fuo rioed gwell hysbyseb ar gyfer unrhyw beth!

"Mrs Parry? Mrs Joyce Parry?"

Nodiodd Joyce ei phen, gan feddwl sut gebyst oedd y werthwraig yma'n gwybod ei henw. Roedd curiadau'r miwsig yn diasbedain yn ddigyfaddawd yn y cefndir. Ella 'i bod hi'n meddwl fod gen i blentyn, rhyw laslanc hirwalltog diddwedws oedd yn cloi ei hun yn ei stafell ar dop y tŷ ac yn siarad mewn sloganau, meddyliodd Joyce. Roedd y syniad mor apelgar. Joe fyddai 'i enw fo. Joe.

Yna edrychodd eto ar y ferch a chofio am yr enw a'r rhif ffôn. Doedd bosib …?

"Pwy dach chi?" mentrodd.

"Rhian Huws …"

Edrychodd Joyce arni heb ymateb.

"O'r *Journal* … Gneud eitem ydan ni am sut le oedd y dre ddeng mlynedd yn ôl, y newidiadau sy 'di digwydd, edrych ar y storis oedd yn y newyddion 'radag hynny …"

Teimlodd Joyce rhyw oerni newydd yn gafael yn ddwfn, ddwfn y tu mewn iddi.

"A sut ydach chi erbyn hyn, Mrs Parry? Ddeng mlynedd ers i chi golli … Mali, ia? Mali fach . . . Deng mlynedd o orfod wynebu'r ffaith 'i bod hi wedi diflannu o'ch bywyda chi."

Deng mlynedd. Deg Dolig. Deg pen-blwydd. Deng mlynedd o gadw drws y stafall wely fach ynghau …

"Eich stori *chi* 'dan ni isio, Mrs Parry. Sut ma' mam yn dechra ail-godi'r darnau ar ôl rhywbeth fel'na … Sut yn y byd 'dach chi'n meddwl gallu symud mlaen …?"

Safodd Joyce heb symud am eiliad. Clywodd dincial fan hufen iâ, yn abswrd o anaddas ynghanol y gwynder, ac eto roedd yn cyd-fynd yn berffaith rhywsut yn ei ddiniweidrwydd glân, gloyw.

"Oes ganddoch chi amser, Joyce, i gael sgwrs bach efo fi? Dach chi'm yn meindio mod i'n ych galw chi'n Joyce, gobeithio. Dwi'n teimlo mod i'n 'ych nabod chi … Roedd 'na gymaint yn y papura ar y pryd … Deg oed o'n i, ylwch. Digon hen i ddalld, de? Os oes 'na ddalld ar rywbeth felly …"

Roedd troed Rhian Huws bellach yn y drws, a hithau'n tynnu ei chorff gan bwyll bach yn nes i mewn i'r tŷ …

"Deng mlynedd, Joyce … Fydda hi'n un ar bymtheg rŵan, yn byddai? Un ar bymtheg … i fyny i bob drygioni dwi'n siŵr … fel ma' genod yr oed yna. Licio Busted, hwyrach, Avril Lavigne, colur, hogia …"

Roedd hi'n edrych i fyw llygad Joyce, yn ddiffuant, yn siarad am y peth heb drio'i osgoi o gwbwl …

"Dwi'n siŵr 'i fod o'n anodd iawn i chi … gweld genod erill yn mynd o gwmpas, yn ca'l byw 'u bywyda …"

Roedd y sgrech yn ddigon i fferru gwaed unrhyw un. Rhuthrodd Joyce i'r lolfa lle roedd ei mam wedi syrthio'n ôl i gadair freichiau ac wrthi'n taro'i phen yn orffwyll. Yn yr un eiliad, synhwyrodd Joyce yr ogla llosgi, a gweld fod yna fwg yn nadreddu'i ffordd trwy wallt ei mam, ac ymylon y cudynnau claerwyn yn ddu, fel gwair wedi dechra cipio mewn cae yn anterth haf poeth …

Roedd y bocs matsys o boced côt Joyce ar agor, a chwpwl o fatsys wedi'u taflu ar y llawr. Yn reddfol, dechreuodd Joyce hefyd daro ar y mwg oedd ar y gwallt ond fe gamddeallodd ei mam a dechra gweiddi fod rhywun yn ymosod arni. Dechreuodd ymladd yn ôl, yn ddannedd ac yn winedd i gyd.

Drwy'r cyfan, gallai Joyce deimlo fod Rhian Huws efo'r clustdlysau sgleiniog yn edrych o'i chwmpas, a'i meddwl ar ras. Cymerodd y gohebydd arni helpu drwy roi'r matsys yn ôl yn y bocs a'u rhoi ar y silff ben tân yn ddigon pell. Ond roedd ei llygaid yn symud yn chwim o un manylyn i'r llall. Tŷ canol oed, dosbarth canol. Llun o draeth melyn mewn ffrâm yn ymyl hen lun priodas, a llun bach del o hogan fach chwech oed bryd tywyll yn gwenu'n ddanheddog i mewn i'r camera, gydag un llygad ar gau yn erbyn yr haul.

Gwaeddodd Joyce mewn poen wrth i winedd ei mam dynnu gwaed.

Pennod 6

Joyce

Roedd llywio Edna ar hyd y llwybr llithrig at y car yn dipyn o dasg. Falla y byddai'r ddwy ohonyn nhw yno o hyd rŵan petai'r riportar fach ddim wedi dod i'r adwy, wedi cymryd drosodd gan Joyce. Gan fod ei mam wedi bod yn taro'r fflamau ar ei gwallt efo'i dwylo, roedd cledr ei dwy law wedi llosgi hefyd, a'r cylch pinc-goch ffyrnig yn gneud iddi weiddi allan mewn poen. Doedd Joyce ddim wedi sylweddoli i ddechrau faint yn union roedd hi wedi brifo. Roedd hi wedi gobeithio y byddai'n ddigon roi eli ar ei dwylo a'i rhoi yn ei gwely.

Doedd presenoldeb y newyddiadurwraig fach, Rhian, ddim yn helpu chwaith; gallai Joyce weld pennawd ar ôl pennawd yn gwibio o'i blaen: MAM ALARUS MEWN TRASIEDI ARALL. Roedd Ian a hithau wedi cael hen ddigon ar y papurau newydd oedd yn bla yn ystod y cyfnod cynnar. I ddechra, roedd pawb yn gefnogol iawn, ac o ddefnydd ymarferol wrth ddangos llun Mali dro ar ôl tro yn y papur, gydag un papur lleol yn cynnig gwobr ariannol am unrhyw wybodaeth. Dim ond wedyn, wedi misoedd o glywed dim byd, y byddai ambell bapur yn troi 'nôl atyn nhw am ongl newydd ar y stori, fel arfer ynghanol yr haf pan oedd newyddion arall yn brin.

A rŵan roedd y newyddiadurwraig fach ifanc 'ma wedi cael modd i fyw: cael mynediad i'r tŷ, a hyd yn oed ei chael ei hun ynghanol creisys teuluol oedd yn dangos y fam alarus ar ei gwaetha; yn ddigon diofal i adael i'w mam ffwndrus ei hun gael gafael ar focs o fatsys a thrio gneud coelcerth o'i gwallt.

Daeth yn amlwg nad oedd ei mam am droi'n wenfflam. Roedd Joyce wedi llwyddo i ddiffodd hynny o'r fflamau oedd yn dal i fudlosgi. Llanwyd y stafell ag oglau mwg anghyffredin, fel llosgi gwellt, bron. Roedd ei mam yn edrych yn syfrdan o'i chwmpas, fel petai ganddi'r un syniad am yr hyn ddigwyddodd.

"Ga i nôl diod o ddŵr iddi hi ...?"

Trodd Joyce at y newyddiadurwraig ac edrych yn filain arni. Doedd hi ddim isio i hon fod yn prowlan ar hyd y tŷ yn fwy nag oedd rhaid. A deud y gwir, y peth roedd Joyce yn dyheu fwya amdano'r eiliad honno oedd cael bod mewn stafell ar ei phen ei hun, heb neb.

"Na!" Yna'n dawelach, yn fwy pendant fyth, "Na! Mi a' i i neud pob dim. Gewch chi fynd. Ewch, plîs – rŵan!"

Pan ddaeth Joyce yn ôl o'r gegin gyda'r gwydraid o ddŵr, doedd hi ddim wir yn synnu o weld Rhian yn dal yno. Roedd hi wedi swcro'i mam i eistedd ar gadair gyfagos, ac wrthi'n cogio edmygu'r patrymau cywrain ar ei chardigan. Roedd ei mam wedi llonyddu drwyddi, ac yn gwthio'i bysedd yn llawn chwilfrydedd drwy'r amrywiol dyllau yn y patrwm.

"Dach chi'n meddwl y dylian ni fynd â hi draw i A&E, jesd i neud yn siŵr 'lly?"

Doedd Joyce ddim wedi cydio yn arwyddocâd ei geiriau i ddechrau. Roedd ei meddwl wedi glanio ar y "ni", ac wrthi'n ei symud o un ochr i'r llall, fel byddai rhywun yn chwara efo pêl tennis. "Ni" …

"Chewch chi'm sgŵp yn fan'ma!" meddai Joyce yn oeraidd. Doedd ganddi mo'r awydd lleia cael hon yn gynffon ganlyn yr holl ffordd i'r Uned Ddamweiniau, yn ysu am gael estyn am ei llyfr nodiadau i gofnodi pob dim.

"Ddylia rhywun ga'l golwg ar hwnna …"

Cynheuodd rhywbeth y tu mewn i Joyce wrth iddi glywed y ferch yn siarad mor wastad ac aeddfed.

"Dach chi'n trio deud mod i ddim yn medru edrach ar ôl fy mam fy hun?"

Ysgydwodd Rhian ei phen, ond doedd hi ddim fel petai wedi dychryn at yr ymateb. Debyg iawn ei bod wedi cael ei hyfforddi ar y cwrs newyddiadura 'na y buodd hi arno i fod yn barod am pob siort o adwaith gan y bobol roedd hi'n gwthio i mewn i'w byd.

Y funud nesa roedd Rhian wedi estyn am gôt yr hen wreigan ac yn ei dal yn barod i Joyce gael ei gwisgo am ei mam. Gan fod y fflamau wedi diffodd a phawb wedi ymdawelu rhywfaint, roedd Edna hefyd wedi setlo, ac yn gwenu'n gariadus ar Rhian. Cyn i Joyce fedru taenu'r gôt dros ei hysgwyddau ac esbonio, roedd hi wedi camu at Rhian a throi ei chefn ati, gan estyn ei breichiau allan yn barod i wisgo'r gôt. Roedd Rhian wedi edrych i wyneb Joyce er mwyn cael caniatâd. Ar ôl tair blynedd o edrych ar ei hôl, mor rhwydd roedd ei mam yn gallu ei thaflu o'r neilltu a chamu i freichiau rhywun arall efo gwên, meddyliodd Joyce. Doedd hi ddim yn siŵr sut i deimlo ynghylch y peth.

Er na fyddai Joyce yn cyfadde hynny, roedd hi'n falch fod Rhian Huws efo hi rŵan. Roedd ganddi rhyw ffordd o siarad efo'i mam oedd yn gynnes ac yn anogol yr un pryd.

"Dowch rŵan, 'lwch, i ni ga'l mynd am dro bach yn car, ia?"

Gwenodd yr hen ledi a gadael i Rhian ei thywys gan bwyll gerfydd ei phenelin at y giât, gan oedi efo hi yma ac acw ar y llwybr wrth i Edna blygu i suddo ei llaw mewn clustog o eira trwchus yn y gwely blodau. Aeth Joyce yn ofalus i lawr y llwybr llithrig at y car ac agor y drws yn barod.

Fe lwyddwyd i osod Edna yn sedd flaen y car, rhywsut. Roedd hi wedi tawelu cryn tipyn erbyn hyn, er ei bod yn dal ei llaw yn chwithig o hyd ac yn mwmian yn dawel wrthi'i hun. Syllai mewn rhyfeddod ar y byd gwyn, diarth o'i chwmpas. Taenodd Joyce y flanced yn ofalus dros ei chluniau, a chau'r drws yn ysgafn, rhag ofn cynhyrfu'r dyfroedd.

Trodd Joyce yn ôl at Rhian, oedd rhywsut yn edrych yn ifanc unwaith eto, fel petai'r ysfa ofalus, famol, wedi cael ei blygu a'i rhoi'n ôl yn ei lle tan y tro nesa.

"Fyddan ni'n iawn, rŵan … diolch …"

"Os oes 'na rywbeth fedra i neud eto …"

"Dim byd. A' i â hi draw i Casualty rhag ofn. Fydd hi'n iawn." Ac yna, yn ddirybudd, meddai, "Ma' hi'n anodd cadw trac …"

Stopiodd Joyce ei hun rhag bwrw'i bol wrth yr hogan yma oedd dal yn ddieithryn er gwaetha'r deng munud diwethaf.

"Alwa i draw os ca i … Gweld sut dach chi'n dŵad yn ych blaena …"

Am eiliad roedd Joyce isio meddwl fod Rhian yn bod yn

gymdogol, isio helpu ac isio bod yn gefn. Byddai mor braf cael cymdogion oedd yn estyn llaw, yn gneud yn siŵr eu bod yno iddi, rhywun y gallai alw arnyn nhw mewn argyfwng. Ffrind. Ond wedyn, fe ddaeth yr hen lais oedd yn gweld drwy bawb a phopeth i'r fei. Yr hen lais oedd yn denau, yn fain, yn treiddio'n ddwfn tu mewn iddi, rhywsut. Isio'i throed yn y drws ma' hon, meddyliodd Joyce, gan wrando ar y llais. Doedd o ddim wedi bod yn anghywir o'r blaen. Isio manteisio ar y ddamwain i ga'l gwell stori ar gyfer 'i phapur newydd.

"Sgin i'm mwy i ddeud wrthach chi."

"Gweld sut dda'th hi mlaen yn y 'sbyty … Fasa ffonio heno 'ma'n haws?"

"Dan ni'm isio dim byd i neud efo chi! Pam na fedrwch chi bobol papur newydd ddalld hynny? Symud mlaen 'dan ni rŵan … mae o'n hen hanas, tydi? Hen blydi hanas!"

Aeth Joyce i mewn i'r car ar ei hunion a rhoi clep i'r drws i ddiweddu'r sgwrs efo'r hogan ifanc. Symudodd i ffwrdd mor gyflym ag y medrai ar hyd y lôn oedd eisoes wedi dechrau troi'n hen slwj brown, llygredig.

* * *

Roedd Uned Ddamweiniau 'Sbyty Gwynedd yn llawn i'r ymylon pan gyrhaeddon nhw. Roedd yna dri neu bedwar o bobol yn disgwyl yn amyneddgar i gael adrodd eu cwyn wrth yr ysgrifenyddes fach benwyn tu ôl i'r ffenast wydr yn y dderbynfa. Un â'i fraich mewn sling yn barod, un arall yn amlwg wedi bod mewn cwffas efo polyn lamp, o'r olwg oedd ar ei wyneb o. Pawb efo'i anafiadau gweledol. Roedd 'na stori tu ôl i bob un clais, medda Joyce wrthi'i hun wrth edrych arnyn nhw. Pob pwyth yn adrodd rhyw hanes, neu'n huawdl yn ei fudandod.

Wrth lwc roedd hi wedi cael gafael ar gadair olwyn oedd wedi cael ei gadael mor ddidaro â throli Tesco yn y maes parcio. Gosododd ei mam yn y gadair, a rhoi'r blanced yn ddestlus yn ôl dros ei chluniau. Sylwodd Joyce fod godrau'r blanced yn wlyb ac yn fudur, wedi'i lusgo ar y llawr yn amlwg. Doedd dim ots am y tro.

Wedi iddi gael ei gosod yn y gadair olwyn, trodd ei mam yn ddelw, heb gymryd math o ddiddordeb yn unrhyw beth oedd yn digwydd o'i chwmpas, heblaw am y cartŵn plant oedd yn gneud giamocs ar y teledu yng nghornel y stafell aros. Roedd rhywun wedi troi'r sain i lawr, ac felly roedd anturiaethau'r gwningen fach binc a'r pengwin bach piws yn edrych hyd yn oed yn fwy abswrd.

Ar ôl rhyw hanner awr, tywyswyd y ddwy at wely metel cul. Gwnaethpwyd stafell o'r gongl drwy dynnu'r llenni mawr blodeuog o amgylch, ond roedd sgwrs pawb i'w chlywed.

Pan gyrhaeddodd y doctor ifanc a'r nyrs fach bonitêl efo fo, roedd Joyce yn ymddiheurol am ddod â'i mam draw i'r Uned Ddamweiniau. Roedd y lle'n amlwg yn brysur iawn, a'r peth ola oeddan nhw isio delio ag o oedd rhyw hen ddynas wallgo oedd wedi penderfynu llosgi ei gwallt ei hun. Teimlai Joyce yn oer ac yn unig iawn mwya sydyn. Ddylai hi ddim fod wedi cael ei pherswadio i ddod yma gan y Rhian fach yna. Doedd yna ddim rheswm pam na ddylia dipyn o eli lleddfol a chwpwl o dabledi fod wedi lladd y boen. Byddai ei mam yn cysgu'n braf yn ei gwely erbyn hyn, a Joyce hithau yn cael cyfle am banad a smôc.

Ond mae'n rhaid fod y nyrs wedi camddeall yr hyn roedd Joyce yn ymddiheuro yn ei gylch. Ar ôl i'r doctor ddiflannu tu ôl i'r llenni at ddrama bach arall, roedd y nyrs wedi ei holi eto.

"Am faint oedd hi 'i hun, lly?"

"Sori?"

"Am faint oedd y'ch mam ar 'i phen 'i hun?"

"Doedd hi ddim 'i hun."

Pam oedd llais Joyce yn swnio mor amddiffynnol? Fel hogan fach yn cael y bai ar gam, ac yn methu peidio gwenu'n euog, gneud yr hen lais 'na roedd Joyce yn ei ddefnyddio rŵan.

"Doedd hi ddim 'i hun? Cymryd dipyn o amsar i chwilio am fatsys a gneud llanast fel hyn 'fyd, tydi?" medda'r nyrs, a thaenu cefn ei llaw yn annwyl ar foch Edna. Yna diflannodd, heb roi cyfle i Joyce esbonio ymhellach, a chau'r llenni'n swnllyd ar ei hôl.

Teimlai Joyce fel pe bai wedi ei hynysu. Roedd y nyrs wedi taflu'r sylw beirniadol ati fel rhywun yn taflu carreg i bwll o ddŵr, heb aros wedyn i weld y crychau'n ymchwyddo allan ar hyd yr wyneb. Doedd Joyce ddim wedi camddeall. Roedd y nyrs fach hunan-gyfiawn yn feirniadol o'i gofal. Yn gweld bai arni hi am fod ei mam yn yr Uned Ddamweiniau. Edrychodd yn ôl ar ei mam. Teimlai Joyce fod rhywbeth fel carreg yn pwyso'n drwm drwm y tu mewn iddi hithau hefyd.

Pennod 7

Joyce

Mae goleuadau'r ceir yn un strimyn hir o fwclis coch ar hyd y lôn wlyb sy'n mynd i gyfeiriad stesion Bangor, y lliw yn sgleinio yn y pyllau dŵr. Chwartar wedi chwech ydy hi, ac mae'n ymddangos yn bell iawn yn ôl i Joyce ers iddi fod yn pwyso'n erbyn y giât ganol pnawn, yn falch o gael cyfle i ddianc o'r tŷ am funud.

Mae Joyce wedi hanner gobeithio y byddai cenllysg ac eira ysgafn ganol pnawn wedi bod yn ddigon i achosi'r panig tymhorol ymhlith gweithwyr, a gyrru pawb adra'n gynnar, gan adael y lonydd yn wag. Ond dydy hyn ddim wedi digwydd i unrhyw raddau fyddai'n gneud y traffig yn ysgafnach. Gwaetha'r modd.

Ddywedodd y doctor ddim byd wrthi, ddim yn uniongyrchol beth bynnag. Ond sylwodd Joyce ar yr edrychiad a rannodd efo'r nyrs fach bowld pan oedd Joyce yn ceisio egluro beth ddigwyddodd. Roedd y cyfan yn swnio braidd yn anhygoel, roedd yn rhaid cyfadde – fod Joyce wedi bod yn sgwrsio ar stepan y drws cyhyd fel na sylwodd fod ei mam wedi cael gafael ar y bocs matsys ac wedi llwyddo i roi ei gwallt ar dân. Petaen nhw'n gwybod beth oedd natur y sgwrs, a bod Joyce yn trio darbwyllo hac o'r papur lleol nad oedd hi isio siarad am ei merch ddiflanedig, beth fyddai wedi digwydd wedyn, tybed?

Roedd Joyce wedi bod ar fin deud, ar fin egluro wrthyn nhw nad sgwrs fach neis am y tywydd oedd hon. Ond wedyn, wrth glywed y Doctor yn sôn am "eich ffrind" hyn ac "eich ffrind" llall, fe dawodd Joyce. Roedd hi'n licio'r cynhesrwydd roedd y geiriau'n ei gynnau tu mewn iddi. Ffrind yn galw draw am funud i gael clonc ar stepan drws. Roedd yr holl beth mor normal, rhywsut. Braf.

"A'ch gŵr, Mrs ... Parry, ia?" meddai, a'i lygaid yn gwibio dros nodiadau ei mam.

"'Di marw …" meddai Joyce, gan edrych am ennyd fer ar ei mam, gan ddisgwyl i honno daeru a deud fod Ian yn holliach, siŵr iawn. Ond ddywedodd hi 'run gair, dim ond 'studio'r print ar y cynfas gwely efo enw'r 'sbyty arno.

"'Di marw," medda hi eto wrthi'i hun, a doedd y geiriau ddim yn swnio'n stiff ac yn newydd yr ail waith. Ac wedyn daeth rhyw orfoledd anarferol o nunlle, a gwelodd lygaid y doctor yn meddalu'r mymryn lleia rioed cyn i'r proffesiynoldeb gymryd ei le unwaith eto …

Mae Joyce yn edrych draw at ei mam, sy'n mwmian rhyw rigwm disynnwyr wrthi'i hun, ac yn edrych i lawr bob hyn a hyn ar ei bandej, fel petai hi'n methu dirnad o ble y daeth. Dydi hi ddim yn poeni am y bandej ar ei phen, mae'n siŵr, am nad ydy hi wedi gweld ei hadlewyrchiad mewn unrhyw ffenast eto. Roedd y nyrs fach wedi deud wrthi fod croen y pen yn fwy tyner na chroen y dwylo, ac roedd Joyce wedi gwenu, fel petai hyn yn newyddion iddi.

Mae Joyce yn cofio fel oedd Ian yn arfer mwytho'i chlun wrth ddreifio, fel oedd o'n neud erstalwm pan oeddan nhw'n caru. Hithau'n eistedd yn agos agos ato, ar ymyl ei sêt, yn methu cael digon.

Yn sydyn, mae corn rhyw gar yn canu'n ddiamynedd ac mae'r ddwy ohonyn nhw'n neidio.

Mae Joyce yn cofio labordy poeth yn yr ysgol ddiwadd tymor yr haf, a hithau'n gwylio cacwn mawr meddw yn ymlwybro i'w chyfeiriad i farw. Yr athro blin wedi siarsio pawb i fod fel llygod o ddistaw, gan ei fod yn marcio papura arholiad ar y ddesg yn y tu blaen. Mae'r gwres a'r distawrwydd llychlyd anghyffredin yn mynd â'i gwynt, a'r cacwn yn dynesu, yn igam-ogam, yn nes ac yn nes. Ac yna sgrech y larwm tân yn gneud iddi neidio o'i sêt, yn banig gwyn gwallgo … Mae corn y car yn cael yr un effaith rŵan, yn gneud i bob dim droi ben i waered am funud. Mae ei mam yn dechrau anesmwytho, a'r rhychau blinderus yn dyfnhau yn ei hwyneb.

"Ara deg, ara deg …" meddai Joyce wrth y car, wrth ei mam,

wrth y byd. "Ara deg …"

Yna mae 'na gar arall yn canu'i gorn hefyd, fel adar yn ateb ei gilydd mewn coedwig. O fewn eiliadau mae 'na symffoni o synnau gwahanol, y cyfan yn rhoi llais i'w hanniddigrwydd, pob un yn seinio'r un rhythm diamynedd.

Mae ychydig eiliadau wedi mynd heibio cyn i Joyce sylweddoli fod 'na seiren arall wedi dechrau y tu mewn i'r car hefyd, yn betrusgar i ddechrau, fel petai ci mam yn profi ei sain ar yr awyr, yn gweld sut oedd ei llais hi'n medru ymdoddi i leisiau gweddill y byd. Yna, wrth iddi sylweddoli fod ei sŵn hi wedi ennill ei le, mae hi'n dechrau o'i hochor hi, yn sgrechian nerth ei phen nes fod yr esgyrn bach brau yn ei gwddw yn sefyll allan fel styllod, yn taenu'r croen piws yn dynn dynn yn eu herbyn.

Yn ddistaw a digynnwrf mae Joyce yn gwasgu'i bawd ar y botwm coch wrth ei hochor chwith ac yn rhyddhau'r gwregys diogelwch. Rhyddhau. Yn reddfol, mae hi'n cydio yn ei bag llaw o dan draed ei mam.

Mae drws y car yn agor efo rhyw glync sy'n swnio'n anarferol o uchel i glustiau Joyce, er gwaetha'r holl gacoffoni o'i chwmpas.

Mae hi allan o'r car mewn eiliadau. Tydi Joyce ddim hyd yn oed yn cau'r drws ar ei hôl, dim ond yn ei adael yn agored, fel bod sŵn ei mam yn perthyn rŵan i gynddaredd pawb arall. O gornel ei llygaid, mae Joyce yn gweld fod y lindys hir o geir wedi dechrau modfeddu ei ffordd ymlaen, a bod y car y tu ôl i'w char hi yn barod i wneud yr un fath, ond fod ei char hi yn y ffordd.

Ond camu mlaen mae Joyce, heb y car, heb ei mam. Camu mlaen heb edrych yn ôl. Camu'n bwrpasol iawn, o rywun nad oes ganddi hi'r un syniad i ble mae hi'n mynd.

Pennod 8

Ian

Edrychodd Ian ar y lleuad o gloc ar wal y swyddfa. Chwartar i saith. Roedd pawb wedi hen fynd adra cyn i Ian gael cyfle cynta'r diwrnod hwnnw i ymbalfalu ym mhoced ei siaced am y tamaid papur. Doedd o ddim isio gwneud dim tan iddo gael y swyddfa iddo fo'i hun. Roedd o wedi bwriadu cofnodi'r wybodaeth yn daclus yn y llyfr ffeil-o-ffaith lledar du roedd Joyce wedi'i brynu iddo un Dolig, ond roedd o wedi gadael hwnnw adra. Falla mai da o beth oedd hynny. Falla y byddai cofnodi'r rhif mewn rhywbeth mor swyddogol â'r llyfryn hwnnw yn un cam yn rhy bell i Ian ar hyn o bryd. Tan iddo gael y cyfle i siarad yn iawn efo Joyce, roedd yn well ganddo beidio gwneud "Carys" yn rhy swyddogol yn ei fywyd.

Hen siaced fawr flêr oedd yr un a wisgai, â phocedi ymhob man. Doedd hi ddim yn syndod felly iddo fethu dod o hyd i'r papur yn syth. Gan fod Malc wedi picio â chleient allan am swpar cynnar, ac nad oedd disgwyl yr un o'r dreifars yn ôl am ugain munud da beth bynnag, fe fentrodd Ian wasgaru cynhwysion ei bocedi i gyd ar y ddesg. Eisteddodd yn ôl, ac edrych ar y geriach o'i flaen: polo mints wedi troi'n llwyd a'r papur arian wedi'i wasgu'n tsiaen cordeddog yn ei boced; arian mân a chwpwl o *paper clips,* "rhag ofn". (Rhag ofn be? Argyfwng! Argyfwng! Sefwch i'r ochor i neud lle i'r dyn efo'r *paper clips*!) Gwenodd Ian wrtho'i hun. Tybed a oedd cynnwys pocedi pawb yr un fath yn y bôn?

Ond doedd dim golwg o gwbwl o'r tamaid papur. Damia! Roedd o wedi gobeithio medru ffonio o'r swyddfa, gan na allai yn ei fyw ddychmygu ffonio o'r tŷ.

Yn rhyfedd ddigon, teimlai Ian fel petai o'n cynnal rhyw fath o affêr. Dyma'n union fyddai'r teimlad hwnnw, mae'n debyg: cuddio, ymbalfalu mewn pocedi, disgwyl am stafell wag i gael codi'r ffôn ... Ond o leia gydag affêr fe fyddai'r addewid o wireddu dyhead yn digwydd. Fe fyddai digoni blys yn dâl digonol am guddio a chyfrinacha chwara plant fel hyn. Fe fyddai pob dim yn werth y drafferth. Affêr. Dechreuodd hymian wrtho'i hun rhag i'r llun o Joyce ymwthio i'w feddwl eto.

Oedd 'na ddoctoriaid rioed wedi awgrymu cael affêr fel ffordd o ddileu pwysau bywyd, tybed? "Ewch ymaith a chnychwch efo pwy bynnag gymith chi. Fyddwch chi ddim 'run un."

Wrth i'r locym newydd ei holi am ei berthynas efo Jack Daniels, gallai Ian synhwyro fod y doctor yn gwibio drwy'i lyfra meddygol yn ei feddwl, neu'n dwyn i gof rhyw seminar am bobol oedd wedi cael collad fawr yn eu bywydau ac yn methu ymdopi. Pan sgriblodd ar y tamaid papur a'i wthio ar draws y ddesg i'w gyfeiriad, roedd Ian wedi tybio mai enw rhyw ffisig newydd fyddai arno, rhywbeth y gallai ei brynu'n rhatach dros y cowntar. Ond enw a rhif ffôn oedd ar y papur, mewn sgrifen fwy destlus nag yr oedd Ian wedi ei ddisgwyl gan ddoctor, ac roedd llais y locym yn sionc, fel petai o'n awgrymu math o eli fyddai'n gneud i blorod ddiflannu.

"Cownsela," meddai, a gwenu'n fuddugoliaethus.

"Sori?"

"Siarad efo *counsellor* ... yn medru gneud byd o les ..."

"Ydy o?" Llywaeth.

"Ymchwil ddiweddar yn profi'n gefnogol iawn i sesiwn efo *counsellor*."

"Ond radag hynny oedd yr adag i neud, debyg, ddim rŵan!"

"Not at all! Not-at-all!"

Plygodd y locym ymlaen, yn amlwg yn dechrau cynhesu at ei bwnc. Roedd Ian wedi meddwl pa mor uffernol o ifanc yr edrychai, a'r gola o'r ffenast yn mennu dim ar lyfnder ei groen.

"Mae 'na amball i adroddiad yn honni fod therapi'n fwy llesol fyth flynyddoedd wedi'r golled weithia. Fel tasa petha wedi cael amser i ddod i'r wyneb ..."

Yn lle 'u bod nhw'n corddi am hydoedd mewn rhyw hen ddŵr budur yng ngwaelod dy fol di, meddyliodd Ian. Gallai weld hen bwll o ddŵr gwyrdd yn ei feddwl, a swigen fechan yn codi ac yn torri ar wyneb y dŵr, yn arwydd o fywyd, o anadl ...

Ar y pryd, roedd Ian wedi diolch iddo, a phlygu'r tamaid papur yn ofalus, heb fwriad o gwbl i'w ddefnyddio, ond yn ddiweddar ... doedd wybod lle yn y byd oedd y papur erbyn hyn.

P'run bynnag, doedd gan Ian yr un iot o awydd i godi'r ffôn rŵan a siarad efo'r cownslar. Gwyddai y byddai'r gyfathrach yma ymhell o fod yn un bleserus. Byddai'r boddhad yn rhywbeth oedd yn dŵad yn ei amser ei hun, petai o'n dŵad byth. A llonyddwch fyddai hwnnw wedyn, nid boddhad: y llonyddwch a'r tawelwch roedd y rhan fwya o bobol yn eu cymryd yn gwbwl ganiataol.

Gollyngodd ochenaid ddofn, ddofn. Heb y rhif ffôn, fe fyddai'n rhaid i'r cownsela aros. Roedd o wedi aros deng mlynedd. Siawns na fyddai aros diwrnod arall cyn cyfarfod y "Carys" 'ma'n gneud llawer o wahaniaeth.

Stwffiodd y geriach i gyd yn ôl i'w bocedi, heb fath o drefn, a mynd i sefyll wrth y ffenast a sbio allan ar y nos. Cyn belled ag y gwelai, doedd y plu eira ddim wedi gadael argraff fawr ar y maes parcio eto, er fod yr hogia wedi ffonio i mewn o Harrogate i ddeud fod y lonydd yn ddrwg yn fanno.

Roedd Ian yn hoffi'r adeg pan oedd y swyddfa'n wag, derfyn dydd. Roedd ganddo gyfiawnhad dros fod yno, a gallai fwynhau tawelwch a llonyddwch arbennig swyddfa oedd wedi bod yn brysur awr ynghynt. Nid hen dawelwch marwaidd rhywun unig oedd hwn, ond y tawelwch melys oedd yn dod i ran rhywun oedd wedi ei haeddu. Fel y tawelwch bendigedig roedd dau yn ei rannu fel trysor ar ôl caru.

Pan ganodd y ffôn, swniai fel seiran. Edrychodd Ian yn reddfol ar y cloc, a meddwl na fyddai cwsmeriaid fyth yn ffonio ar ôl pump fel arfer. Ac eto, fe atebodd y ffôn yn gwrtais broffesiynol, rhag ofn.

"Pnawn da, good afternoon, MA Distribution ..."

"Ga i siarad efo Mr Ian Parry, os gwelwch yn dda?"

"Yn siarad ..."

Suddodd calon Ian am eiliad. Fel arfer, os oedd rhywun yn gofyn amdano fo'n benodol roedd yna broblem, a byddai angen i Ian ffonio a chysylltu ar frys efo hogia'r fania i weld sut y gellid datrys petha erbyn y bora wedyn. Roedd MA Distribution yn ymhyfrydu yng nghyflymder eu gwasanaeth ar bob achlysur.

"Mr Parry, Sarjant Owen sydd 'ma, Heddlu Gogledd Cymru ..."

Saib. "Helô," meddai Ian yn llywaeth o'r diwedd.

"Dan ni wedi ca'l galwad ... Styrbans ynghanol Bangor, ochra'r stesion ..."

"Styrbans?"

Dychmygai Ian griw o fyfyrwyr mewn cwffas efo giang o hogia dre: llygadu, trwynau gwaedlyd, testosterôn yn cymysgu efo adrenalin ofn ca'l cweir.

"Ia, styrbans. Car 'di ca'l 'i ada'l ynghanol y traffig ..."

"Tewch ..."

Bu bron i Ian ychwanegu rhyw sylw fel "toes isio mynadd efo pobol" ond fe lwyddodd i'w atal ei hun mewn pryd.

"Ac mae ganddon ni achos i gredu mai car 'ych gwraig ydy o ... Mrs Joyce Parry?"

"'Di torri lawr mae hi?" Y car oedd o'n 'i feddwl pan ddudodd y geiria, fod y car 'di torri lawr, ond rhywsut efo'r geiria'n crogi yn yr awyr fel'na ... "'Di'r *car* 'di torri lawr?"

"Fedrwch chi ddŵad draw i'r orsaf mor fuan â phosib, Mr Parry? Mae … Mrs Edna Jones yma. Roedd hi yn y car ar 'i phen 'i hun ar y pryd."

Tu allan roedd yr eira'n dechrau disgyn eto, yn dawel urddasol yn erbyn y düwch, ac yn graddol lynu ar doeau'r fania.

Pennod 9

Joyce

Be fyddai wedi digwydd petai'r trên am Gaergybi heb fod yn aros yn amyneddgar yr ochor bella i'r trac? Beth petai'r stesion wedi bod yn wag o drenau am hannar awr, a Joyce yn clywed tôn barhaus y traffig diamynedd yn bygwth ffrwydro yn ei phen? Beth petai …? Byddai'n siŵr o fod wedi ildio wedyn, a brysio'n ôl yn fochgoch, ei hwyneb yn llawn esgusodion. Oni fydda hi?

Ond yr *oedd* trên yn aros ar yr ochor arall i'r trac, fel tasa fo wedi bod yn disgwyl am Joyce ar hyd yr amser. Ac wrth iddi redeg i fyny'r grisiau, gan fethu pob yn ail ris er mwyn gallu cyrraedd y copa'n gyflymach, buan iawn y peidiodd sŵn y traffig. Rhedeg oddi wrth y sŵn oedd y nod, yr unig nod oedd yn ei gyrru. Clywai sŵn ei thraed yn diasbedain yn changder mawr yr hangar o le oedd yn ymestyn i gludo cerddwyr dros drac y rheilffordd. Ei sŵn hi oedd yr un oedd yn llenwi'i phen. Doedd neb arall o gwmpas. Doedd neb arall yn cyfri.

Roedd y giard ar fin codi'r chwiban at ei wefus i chwythu pan glywodd Joyce swish drysau'r trên yn agor iddi ar ôl iddi bwyso'r botwm mawr arian ar ochor y cerbyd. Oedodd y giard am ennyd a nodio'i ben arni, heb wenu. Gwnaeth hithau'r un ystum yn ôl arno yntau, fel rhyw gyfamod rhywsut, a chamu i mewn.

Ffendiodd sêt wrth ymyl y drws, ac eisteddodd i wynebu'r ffordd yr oedd hi'n mynd. Roedd hi'n crynu, a'i chalon yn curo'n galed. Sychodd gledrau ei dwylo chwyslyd ar ei chôt ac edrych o'i chwmpas yn frysiog.

Hanner llawn oedd y cerbyd. Gyferbyn â hi, yr ochor arall i'r eil, eisteddai tair hogan mewn gwisg ysgol, y tair wedi gwasgu i mewn i sêt i ddwy er mwyn bod efo'i gilydd. Gwyddai Joyce o'u siacedi blazer mai i un o'r ysgolion bonedd ar arfordir y gogledd yr âi'r tair. Doeddan nhw ddim yn ymwybodol ohoni hi o gwbwl, cymaint oedd eu cyffro wrth siarad am rywbeth ddigwyddodd yn yr ysgol y diwrnod hwnnw.

Roedd y trên wedi dechrau llusgo'i ffordd ymlaen cyn i Joyce sylwi. Gwelodd y ceir i gyd yn filwrol drefnus yn y maes parcio, a gwynder eu toeau'n bradychu mor hir y buont yno, yn disgwyl am eu perchnogion. Yn debyg iawn i bobol, meddyliodd Joyce wrthi'i hun. Hired y disgwyl, gwynned y gwallt.

Estynnodd am ei phaced sigaréts o'i bag. Gwg y tair hogan fach a dynnodd ei sylw at yr arwydd coch ar y ffenest, yn bygwth dirwy go egar am feiddio tanio yn y cerbyd dim-ysmygu hwn.

"Where ya goin, doll?"

Chlywodd Joyce mo'r casglwr ticedi y tu ôl iddi, gan fod y drws cysylltu ar agor yn barhaus.

"Where to?"

"Caergybi … Holy …"

Ond cyn iddi fedru ychwanegu'r cyfieithiad, roedd y dyn wedi pwyso rhyw fotwm gan yrru'r ticed yn gyrliog allan o'r peiriant bach wrth ei frest.

Talodd yn gyflym, gan osgoi edrych i fyw llygaid y dyn. Doedd hi ddim isio mwy o gysylltiad nag oedd rhaid. Tybiodd falla iddi glywed seiran yn sgrechian rhywle ym Mangor wrth i'r ddinas gilio'n bentre Lego y tu ôl iddi.

Doedd hi ddim wedi gneud dim byd o'i le, nagoedd? Ddim go iawn. Isio mynd allan o'r car bach diawledig a'i mam yn gweiddi nerth ei phen oedd hi'n y diwedd. Dyna'r cwbwl. Isio mynd yn bell oddi wrth y sŵn, dim ond am funud. Mynd yn bell, bell oddi wrth y sŵn …

Edrychodd Joyce yn iawn ar y ticed ar ôl i'r dyn ei gadael a symud yn ei flaen i lawr y trên. Tocyn ar gyfer taith sengl oedd o. Sengl i Gaergybi, fel tasa hi byth am ddod 'nôl. Cododd Joyce ar unwaith a chychwyn ar ôl y casglwr ticedi er mwyn gofyn am docyn dychwelyd yn lle'r tocyn un ffordd.

"Dach chi'm yn dalld. Dwi'n dŵad yn ôl …" Aeth dros y geiriau yn ei phen.

Ond roedd y dyn wedi diflannu i'r cerbyd nesa erbyn hyn. Eisteddodd Joyce yn ei hôl yn y sêt. Giglodd y tair hogan ysgol, cyn troi i mewn ar eu cylch cyfrin eu hunain unwaith eto.

Erbyn meddwl, doedd hi ddim wedi gofyn am docyn dychwelyd, a bod yn deg â'r dyn. Rhywsut roedd hi wedi cymryd yn ganiataol y byddai pawb oedd yn mynd isio dŵad yn ôl, a bod yn rhaid i rywun wneud pwynt o ofyn am docyn un-ffordd fel tasa rhywun yn gofyn am rhywbeth anghyffredin. Ond fel arall oedd petha, ma'n rhaid.

Tu allan, roedd y byd yn gwibio heibio i'r ddynes oedd yn gafael yn y ticed anghywir ar y trên. Sleifiodd gwastadedd morfa Malltraeth heibio, a braich hir y cob yn ymestyn yn ddioglyd o glydwch coedwig Niwbwrch.

Stopiodd y trên yn ngorsaf Bodorgan, ac aeth dwy o'r tair hogan i lawr efo'u bagiau ar eu cefnau. Bu cnocio ffenast mawr a chodi dwylo rhwng yr un oedd ar ôl a'i chyfeillion ar y platfform. Roedd pob perthynas yn glòs ac yn angerddol pan oeddech chi'n ddeuddeg oed, meddyliodd Joyce; pob ffrind yn ffrind am oes, a honno'n oes faith hirfelyn tesog. Edrychai yr un oedd ar ôl yn wag a gwahanol rhywsut, heb ei ffrindiau. Teimlai Joyce biti drosti.

"'Di bod yn yr ysgol w't ti? Ar y trên ti'n dŵad pob dydd?" mentrodd, gan ddeud y geiriau yn Saesneg hefyd wrth weld yr olwg gymysglyd yn llygaid yr hogan.

Nodiodd hithau ei phen yn frysiog, a thynnu'i breichiau i mewn yn dynnach ati. Roedd hon wedi cael ei dysgu'n dda i beidio â siarad â dieithriaid, meddyliodd Joyce. Doedd hi byth yn mentro siarad â phlentyn diarth fel arfer, yn gwneud ei gorau i beidio gwneud hynny, deud y gwir, ers … Ond gan fod y ddwy ohonyn nhw rŵan yn ddwy adyn ar drên, tybiodd am eiliad fod y rheolau wedi cymylu rhyw fymryn. Troi ei phen draw ac esgus peidio sbio ar ei hadlewyrchiad yn y ffenast wnaeth yr hogan ddeuddeg oed.

Brasgamodd dyn at Joyce ac eistedd i lawr gyferbyn â hi, er fod yna ddigonedd o seti gwag gerllaw. Roedd o'n un o'r dynion blêr, brith rheiny, oedd yn siŵr o fod yn ddarlithydd prifysgol neu rywbeth tebyg. Gwasgai gonsertina anystywallt o bapurau at ei frest, fel petai'n gafael yn rhywbeth oedd yn rhy werthfawr i'w roi o'r neilltu am funud. Yn syth wedi iddo eistedd, agorodd y bwndel papurau a dechrau darllen gydag awch, fel rhywun oedd wedi cael ei amddifadu o ddarllen ers blynyddoedd. Anwesodd ymylon y tudalennau efo bysedd un llaw, tra ymbalfalai â'r law arall ym mherfeddion poced ei siaced. O'r diwedd, estynnodd becyn bach o frechdanau gwasgedig oedd wedi gweld dyddiau gwell. Dechreuodd fwyta, gyda'r un awch ag yr oedd wedi dechrau darllen.

Syllodd Joyce yn agored arno, bron fel tasa hi'n edrych ar rywun nad oedd yno go iawn. Teimlai y gallai estyn ei bysedd allan a'i gyffwrdd; taenu'i bysedd dros ei aeliau, anwesu'r talcen llydan braf, ei dynnu ati a'i dynnu i'w byd. Ond gallai Joyce yn hawdd ddychmygu mai hi oedd y rhith, ac y gallai hithau gael ei sugno i'w fyd yntau. Roedd yn deimlad braf, meddwl am fod ar drên efo fo yn mynd i rywle arbennig, a chriw o ffrindia clyfar yn disgwyl am y ddau ohonyn nhw mewn tafarn i drafod barddoniaeth a ballu.

Roedd Joyce wedi cymryd at John Keats mewn gwers Saesneg unwaith ddechrau'r hydref yn 'rysgol. Dechrau hydref, darfod haf, dyna oedd yr athro wedi'i ddeud. Cofiai Joyce iddi feddwl wrthi'i hun fod dechrau pob dim yn ddarfod rhywbeth arall. Ond ddywedodd hi ddim byd chwaith, dim ond troi geiriau'r bardd yn ei cheg, fel da da.

"Season of mists and mellow fruitfulness . . ."

"Sori?"

Roedd y dyn yn edrych arni, a sylweddolodd Joyce ei bod wedi ynganu'r geiria'n uchel, fel 'sa hi off 'i phen.

"Sori, nesh i'm dal ..."

"Dim byd ... rhyw linell ... ddaeth i 'mhen i!"

Dwyn ydy peth felly! Deud llinall rhywun arall a chymryd arni mai hi oedd pia hi. Fatha cymryd côt rhywun arall oddi ar beg a'i gwisgo hi'ch hun. Roedd 'na air am y peth, a bydda'r dyn yma'n siŵr o'i wbod! Ac yn siŵr o wbod hefyd mai Keats oedd pia'r geiria, cyn wired â bod enw'r person arall wedi ei wnïo ar du allan y gôt. Y fath gywilydd!

Doedd hi ddim am iddo fo feddwl 'i bod hi'n dwlál. Ddim am

iddo feddwl 'i bod hi'n un o'r bobol ddiflas rheiny oedd yn mynnu codi sgwrs efo unrhyw beth â chwyth ynddo fo ar deithiau hirhoedlog.

"Ardal braf ..." meddai yntau, a chymryd brathiad olaf o frechdan, gan wasgu'r plastig yn belen.

"Yndi, braf iawn." Bu bron i Joyce â gofyn iddo pa ran o'r ardal yn union yr oedd yn cyfeirio ati, gan fod y wlad yn gwibio heibio ar gymaint o ruthr, ond penderfynodd beidio. Doedd rhyw sgwrs bitw ar drên fel hyn ddim yn gofyn am lawar o fanylion.

"I Gaergybi dach chi'n ...?"

Edrychodd eto arni fel tasa hi'n hurt. Efallai mai felly oedd o'n edrych ar bawb, fel tasan nhw'n rhyw greaduriaid oedd yn gneud dim synnwyr iddo. Neu falla 'i fod o'n perthyn i'r giwed oedd o'r farn fod unrhyw un fyddai'n dewis mynd i Gaergybi yn hurt!

"Caergybi? Naci ... Dulyn. Trinity College ..."

"Braf ..."

"Rhoi darlith ar Nanodechnoleg ..."

"Neis ..."

Saib. "A chitha?"

Mae'n rhaid fod ganddo ryw rimyn o syniad ei fod yn beth boléit i holi'r person arall hefyd, meddai Joyce wrthi'i hun, ac yna sylweddoli mewn panic ei bod yn mynd i orfod ateb cwestiwn nad oedd hi'n gwybod yr ateb iddo. I ble'r oedd hi'n mynd?

"Dulyn," medda hi, fel adlais ohono yntau, am ei fod yn haws na gorfod meddwl am rywle arall y funud honno.

"Dulyn, ia ..."

Gwenodd y dyn brith a mynd yn ôl at ei bapurau, wedi'i fodloni fod y sgwrs yma wedi cyrraedd diweddglo digon taclus.

Roedd hi'n ddu fel y fagddu y tu allan bellach, a'r golau awtomatig wedi cynnau y tu mewn i gerbydau'r trên. Edrychodd Joyce drwy'r ffenest drachefn, ac roedd ei hadlewyrchiad yn mynnu sbio'n ôl arni, a rhyw hanner gwenu.

Pennod 10

Ian

Pan gyrhaeddodd Ian orsaf yr Heddlu ym Mangor, roedd 'na dwll petryal yn y wal a ffenast wydr gymylog drosto. Gallai Ian glywed sŵn chwerthin yn dod o'r ochor arall i'r ffenast.

Ni fu Ian erioed y math o foi oedd yn gweld y glas yn elyn fel y cyfryw, ond roedd yna rywbeth am yr osgo hunanfeddiannol sefydliadol oedd yn peri i Ian fod isio piso o'u blaena nhw, neu wneud rhyw ystum o wrthryfel. Gyda theimladau cymysg, felly, yr aeth ati i bwyso'r botwm a chanu'r gloch am sylw. Symudwyd un hanner o'r gwydr i'r ochr o fewn eiliadau, a gallai Ian weld dau wyneb, yn wên i gyd, y tu ôl i'r plismon bach ifanc oedd yn edrych arno rŵan. Roedd un o'r plismyn yn sychu'i ddagrau efo cefn ei law.

"Helpu chi? Can I help ..." dechreuodd y plismon ifanc yn ddigon clên.

"Ian Parry," meddai yntau, gan arbed yr embaras o orfodi'r heddwas ifanc i straffaglio yn yr iaith fain.

"Ffoniodd rhywun ..."

"O fan'ma?"

"Am y car 'di cael 'i ada'l ... Y wraig 'di ..."

Fe drawyd Ian â difrifoldeb y sefyllfa, mwya sydyn. Yn y car wrth ddŵad yma, doedd o ddim wedi medru meddwl yn iawn, rhywsut, dim ond dreifio'r car fel tasa fo ar beilot awtomatig.

"Y wraig 'di mynd a'i ada'l o ..." A ngada'l inna hefyd, medda rhyw lais yn ei ben, ond ddudodd o ddim mwy. O'r mynegiant ar wyneb y plismon ifanc, dyna'r union beth oedd yn mynd drwy'i feddwl yntau hefyd. Ddim gada'l car fydd pobol, naci? Ddim laru ar gar a byth isio bod efo fo rhagor fydd pobol.

"Wela i … Ffor 'ma ma' hi. 'Ch Mam."

"Mam-yng-nghyfraith," medda Ian yn bwrpasol, ond falla nad oedd ots o gwbwl gan yr heddwas tasa hi'n chwaer iddo fo. Rhyfadd fod y boi 'di cymryd na fydda Joyce yn gada'l 'i mam 'i hun yn y ffasiwn sefyllfa, fel tasa'r cysylltiad rhwng mam a merch y tu hwnt i hynny. Er fod rhywun yn darllan droeon yn y papura am fama'n gada'l eu babis ar drothwy drws wedi'u lapio mewn copi o'r *News of the World*.

Dilynodd Ian y plismon i lawr rhyw goridor hir ac yna i mewn i stafell ar y pen ar y chwith. Eisteddai'r hen wreigan yno, wedi lapio'i breichiau'n dynn am ei bol a'i brest, ei choesau wedi cyrlio oddi tani ar y gadair, fatha cath. Roedd ganddi fandej fel tyrban am ei phen, ac am eiliad tybiodd Ian ei bod wedi bod yn mynd drwy'i phetha yn y stesion a chwara gwisgo i fyny eto, fel roedd hi'n ei neud yn y tŷ os oedd hi'n cael ei gadael ar ei phen ei hun yn rhy hir.

"Fan'ma dach chi'n cuddio?" medda Ian yn glên, ond symudodd hi 'run gewyn, dim ond dal i syllu ar yr arwyddfwrdd corcyn ar y wal, a rhyw dameidiau o bapur wedi'u glynu arno fo efo pinnau bawd.

"'Di Edna ddim isio siarad efo ni heddiw, nac dach, Edna?" medda plismones ganol oed yn garedig, gan roi winc wybodus ar Ian. Doedd Ian ddim wedi sylwi arni'n syth. Gallasai fod yn fetron mewn cartre henoed, ac yntau wedi dod i edrych am y claf efo bwnsiad o rawnwin yn ei gôl.

Aeth y plismon ifanc i sefyll wrth y ffenest a gwahanu'r bleinds plastig, gan neud sŵn uchel. Edrychodd allan ar y tywydd, a thybiodd Ian ei fod yn poeni sut oedd o'n mynd i gyrraedd adra heno.

Eisteddodd Ian gyferbyn ag Edna, ac estyn ei law am ei braich. Sylwodd ar y bandej ar ei llaw. Wnaeth yr hen wreigan ddim ymgais i wthio'i law i ffwrdd. Gallai Ian deimlo'r symudiad lleiaf drwy ei chorff wrth iddi gymryd ei gwynt.

"Pam y bandej?" holodd Ian.

"Doedd hi ddim fel hyn pan adawsoch chi'r tŷ bora 'ma?" meddai'r plismon ifanc gan ollwng y bleind efo clec.

"Nagoedd … Rhyfadd na fasa Joyce …" Tawelodd.

"Professional job ydy hon …" Roedd y plismon ifanc fel tasa fo'n sôn am ladrad arfog.

Daeth y blismones gron i'r adwy. "'Ych mam 'di bod draw yn casualty pnawn 'ma efo Mrs Parry, yn ôl y records yn 'Sbyty Gwynedd." Yna cododd ei llais yn uwch i siarad efo'r hen wraig, ac roedd y tinc nawddoglyd yn ei ôl. "'Di bod yn chwara efo matsys oeddach chi, te, Edna?"

Edrychodd y tri ar Edna, a throdd hithau ei phen a gwenu, cyn troi a chario mlaen i syllu i'r un fan.

"Fel hyn ma' hi o hyd?" gofynnodd y blismones yn garedig, ond roedd ei llygaid yn dyfnhau.

"Alzheimer's arni ers sbelan," meddai Ian.

"Ac efo chi mae hi'n byw? Chi a Mrs Parry?"

"Ia. Efo ni."

Saib. Edrychodd Ian yn ôl ar Edna, gan deimlo llygaid y llall yn edrych arno drwy'r amser. Blydi plismyn!

"Ma' siŵr o fod yn anodd iawn i chi i gyd …"

Doedd y sylw ddim yn gofyn am ateb.

"Yn enwedig a chitha 'di ca'l blynyddo'dd mor … galad …"

Roeddan nhw'n gwbod, felly! Oeddan, siŵr Dduw, a'u cyfrifiaduron nhw'n medru archwilio perfadd rhywun trwy gliciad botwm.

"Ma'r cyfan 'di bod yn straen ofnadwy ar berthynas y ddau ohonach chi, dwi'n siŵr … Mali fach yn diflannu fel'na … Sa hynny'n ddigon i guro'r gora, basa?"

"Mi ddaethon drwyddi … Mi ddown ni drwyddi eto

…"

Gwenu'n unig wnaeth y blismones, fel tasa hi'n medru gweld y ddau wedi troi cefn ar ei gilydd yn y gwely oedd yn teimlo'n llawar mwy na gwely dwbwl ers tro byd …

"A gorfod gofalu am Edna fel hyn ar ben pob dim …"

"Lle ma'r car?" Roedd o'n swnio'n oeraidd, ond roedd yn bwysig iddo fo gael gwbod.

"Mi gafodd dow i'r steshion 'ma."

"Iawn. Ella sa rhywun yn medru'i ddreifio fo nôl i tŷ ni? Mae nghar i fy hun yma'n barod, 'lwch. Dwi'm yn byw'n bell iawn …"

Tawodd. Mae'n debyg eu bod nhw'n gwbod hyn i gyd, doeddan? Yn gwbod yn iawn lle oedd o'n byw, yn gwbod pob dim oedd 'na i wbod amdano fo.

"Fedran ni ddim rhyddhau'r car eto," medda'r plismon ifanc yn bwysig.

"Pam ddim?"

Cymerodd y plismon anadl ddofn cyn parhau. Nid anadl ddofn rhywun oedd yn paratoi at ddeud newyddion drwg oedd hi, fwy nag anadl ddofn rhywun oedd yn barod i ddarfod ei shifft a mynd adra.

"Mae 'na ddau wrthi'n archwilio'r car rŵan …"

" I be?"

"Am gliwiau … Rhwbath fydda'n rhoi syniad i ni, Ian. Am y rheswm dros i Mrs … Joyce, fynd … Receipts, llythyr, dyddiadur … Mi fyddan ni isio dŵad i archwilio'r tŷ hefyd nes ymlaen …"

Teimlodd Ian ei galon yn suddo a'r gwydraid o wisgi'n mynd yn bellach, bellach o'i afael.

"Ydy … Joyce wedi gneud hyn o'r blaen?" Llais cydymdeimlad. Llais oedd yn eich gwahodd i agor eich perfadd …

"Be? 'I heglu hi? Naddo siŵr Dduw!" Be ddiawl oedd hon yn feddwl oeddan nhw?

"A sut hwylia oedd ar Joyce? Rhwbath yn 'i phoeni hi

fwy nag arfar, 'lly?"

"Poeni dros bobol erill fydd Joyce, ddim amdani hi ei hun."

Saib, yna dechreuodd y blismones sgwennu ambell air ar damaid o bapur ar y ddesg.

Safodd Ian ar ei draed a dechra cerdded o gwmpas y stafell gan wneud i Edna droi ei phen ato am eiliad gyda pheth diddordeb. Roedd o wedi cael digon ar y ffug-gonsýrn yma, ac amsar prin yn llithro o'u dwylo yn siarad a malu fan hyn! Roedd pob eiliad yn mynd â Joyce yn bellach, bellach.

"Fedrwch chi 'i ffendio hi? Fedrwch chi ffendio Joyce?"

"Ma' hi'n mynd yn anoddach i bobol ddiflannu y dyddia yma, Mr Parry ..."

"Diolch byth ... diolch byth am hynna ..."

Roedd Joyce yn mynd i fod yn ôl efo fo heno, neu fory ar yr hwyra, meddyliodd Ian a'i galon yn llamu.

"Yn anodd, ond ddim yn amhosib ..."

Clywodd Ian injan car yn cychwyn, a'i grwndi'n cael ei fygu gan yr eira.

"Nacdi ..."

"Ac fel matar o drefn mi fyddwn ni'n disgwyl hyn a hyn o amser cyn bo ni'n medru datgan yn swyddogol fod rhywun wedi mynd ar goll."

"Faint o amsar?"

"Dibynnu. Yn amal iawn mi ddaw pobol yn ôl ar ôl rhyw ddeuddydd, dri. Ffed yp. Isio chênj ma' pobol weithia, 'chi. Newid byd ..."

Brysiodd y blismones ganol oed i geisio adfer difrifoldeb y sefyllfa, meddyliodd Ian, fel petai hi'n synhwyro fod y plismon arall wedi swnio fel tasa fo'n cymeradwyo cymryd y goes.

"Mewn achos plentyn mae o'n wahanol, wrth gwrs ... Mae rhywun yn gorfod ymateb ar fyrder radeg hynny ... Yn dibynnu ar oed y plentyn, wrth reswm ..."

Edrychodd Ian arni a gwenodd y blismones mewn ymateb. Roedd Ian yn cofio'n iawn sut oedd yr heddlu'n ymateb mewn achos o ddiflaniad plentyn: droriau wedi'u gwacáu ar hyd y stafelloedd, lluniau teulu wedi'u rhwygo o'r albwm gan adael craith eu siâp ar ôl ar y dudalen … Gneud eu gwaith oeddan nhw'r adag honno hefyd, bod yn drwyadl.

Roedd gan hon y math o wyneb y byddai llai dyn nag Ian wedi medru'i ddyrnu'n hawdd, a chael pleser o weld y wên yn diflannu …

"Dwi'n dalld hyn i gyd," medda Ian, gan swnio'n fwy ymosodol nag yr oedd wedi'i fwriadu. Trodd ei dafod o gwmpas ei foch, a meddwl pa mor braf fydda ca'l jesd un glasiad bach o wisgi yn gwmni iddo fo rŵan, jesd i feddalu tipyn ar ymylon siarp y llun. "Dwi'n dalld hyn i gyd. Isio gwbod be dach chi'n mynd i neud am y peth dwi, de. Sut dach chi'n mynd i' cha'l hi'n ôl?"

Ochneidiodd y blismones a chodi ar ei thraed.

"'Na i banad bach i ni, ia? Dach chi i gyd 'di ca'l sioc, do? Sa chi'n licio panad, Edna?"

"Thenciw. Very nice too!" medda Edna, yn gloywi drwyddi fwya sydyn. Roedd hi'n sgut am banad o de erioed, yn credu'n gry yn ei rinweddau iachusol, yn ei allu i droi pob sefyllfa'n ddioddefadwy.

Mi fasa pwcad o'r blydi stwff yn dda rŵan, meddai Ian wrtho'i hun. Ma' angen can pwcad o de i drio altro'r smonach yma. Pwcad o de iddi hi a glasiad mawr braf o Jack Daniels i minna …

"Ond sut dach chi'n mynd i drio'i cha'l hi'n ôl?" gofynnodd eto.

Gallai weld Joyce yn cyrraedd ar y stepan drws un bora braf, ei hwyneb yn edifar i gyd, a dau blismon o boptu iddi.

Edrychodd y blismones ar Ian, ac roedd yr olwg dosturiol ar ei hwyneb eto.

"Mi wnawn ni bob dim fedrwn ni i neud yn siŵr fod y person sydd wedi diflannu yn iach ac yn saff, wrth reswm; nad ydy hi'n cael ei dal yn rhywle yn erbyn ei hewyllys ..."

"Ca'l 'i dal yn erbyn ei hewyllys ...? Rarglwydd mawr!"

Roedd hwn yn fyd newydd rŵan, yn fyd y ffilmia a'r straeon ditectif.

"Ac wedyn, os nad oes 'na drosedd wedi ca'l 'i chyflawni, does 'na ddim byd fedran ni fel heddlu 'i neud ..."

"Be dach chi'n feddwl, does na'm byd fedrwch chi neud?"

"Fedran ni ddim *gorfodi* neb i ddŵad yn ôl adra, Mr Parry ..."

Trawyd y funud gan ergyd tôn ffôn mobeil. Edrychodd pawb ar ei gilydd ac o'u cwmpas. Cân mobeil Joyce oedd hi: roedd Ian wedi darganfod tôn glasurol ddigon bywiog iddi rhyw bnawn gwlyb tua blwyddyn yn ôl. Cofiodd Ian i Joyce fod yn ddiolchgar iawn iddo ar y pryd: cusan ar wefus yn arlliw sydyn o'r hyn oedd yn dal yno'n rhywle, yn cuddio mewn nodau cân. Swniai'r dôn fach fywiog yn anaddas yn fan'ma rŵan. Edrychodd Edna'n syn ar y sŵn a ddeuai o boced ei chardigan. Mae'n rhaid fod yr hen wreigan wedi gweld y ffôn yn y car ar ôl i Joyce ei gadael, ac wedi'i bocedu.

"Ffôn Joyce 'di hwnna!"

Cythrodd Ian yn reddfol am y ffôn, ond fe'i ataliwyd gan law ysgafn y blismones ar ei fraich.

"Pwyll 'wan, Ian ... Peidiwch â bod yn flin a'i dychryn hi i ffwrdd."

Yn sydyn teimlodd Ian rhyw agendor yn agor o'i flaen. Roedd ei wraig y pen arall i linell ffôn, a phlismones ddiarth yn ei gynghori sut i siarad efo hi. Roedd yr holl beth yn wallgo. Doedd o ddim wedi teimlo mor unig ers tro byd, mor ofnadwy o wag.

Nodiodd ei ben, mynd at Edna a thynnu'r ffôn o'i phoced yn ofalus, fel tasa fo'n gafael mewn bom. Pwysodd y botwm i dderbyn yr alwad.

"Helô? Joyce?" meddai llais ifanc yr ochr arall i'r lein.

"Joyce?" meddai Ian yn ôl.

"Ia, ydy hi yna, plis? (SAIB) Y ... efo pwy dwi'n siarad?"

"Ian. Efo Ian."

"O, helô ... ym ... Rhian Huws sy'n siarad ... O'r *Journal*. Meddwl 'swn i'n ffonio i holi sut ma' mam Mrs Parry ar ôl y ddamwain efo'r matsys. Doedd 'na'm atab yn y tŷ ... ffonia i nôl os ydy o'n anghyfleus ..."

Diffoddodd Ian yr alwad. Roedd y blismones ac Edna'n edrych yn ddisgwylgar arno, yn disgwyl iddo ddeud mai Joyce oedd yna a bod pob dim yn iawn. Ysgydwodd ei ben ac edrych ar y sgwariau carpad lliw dim byd. Yn ddirybudd y dechreuodd y dagrau eu siwrne i lawr ei wyneb.

Pennod 11

Joyce

Roedd yr oerni'n brathu pan gamodd Joyce allan o adeilad Stena Sealink ym mhorthladd Dun Laoghaire a gwneud ei ffordd i lawr y grisiau at blatfform trên y DART.

Roedd dyn a dwy ddynes mewn criw yn siarad efo'i gilydd, y tri mewn cotiau smart at y llawr, a'u bagiau gwaith yn dwt ac yn ufudd wrth eu traed. Teimlai Joyce yn annigonol iawn efo'i bag llaw bach tila. Glynai eira ddoe yng nghorneli pella'r platfform blinedig.

Roedd hi wedi osgoi edrych ar unrhyw un ar y llong, ac wedi syllu allan ar olau Caergybi'n wincio'n y tywyllwch wrth i'r llong wneud sŵn grwndi anfoddog cyn llithro'n urddasol allan o'r cei.

Doedd gan Joyce mo'r awydd lleia i gael ei chornelu gan ryw berson busneslyd fyddai'n mynnu siarad efo hi yr holl ffordd draw. Roedd 'na bobol tebyg ar bob siwrne – pobol oedd yn benderfynol fod codi sgwrs efo teithiwr arall yn rhan hanfodol o siwrne lwyddiannus, fel tasa'r awydd yma i gysylltu efo cyd-Gymry yn enwedig yn rhyw fath o aflwydd nad oedd modd cael gwelliant iddo. Roedd yr academydd ar y trên wedi bod yn wahanol rhywsut, gan ei bod yn amlwg fod ganddo bethau llawer gwell i'w gwneud na busnesu efo dynas ddeugain oed oedd newydd adael ei mam ar ôl mewn ciw traffig.

Edrych drwy gil ei llygaid ar bobol eraill roedd Joyce wedi ei neud yr holl ffordd; edrych a cheisio gwneud yn siŵr nad oedden nhw'n gwybod ei bod hi'n edrych arnyn nhw. Fe'i trawyd hi fod pawb yn gyplau, neu'n griwiau. Hyd yn oed os oedd rhywun i weld yn eistedd ar ei ben ei hun, roedd y domen o fagiau wrth ei ymyl yn bradychu'r ffaith ei fod yn cadw lle i rhywun, yn gwarchod eiddo. Ac roedd eraill yn sgwrsio'n brysur ar eu ffonau symudol, yn cyfathrebu, yn cysylltu, nes cyrraedd y tir neb ynghanol y môr pan nad oedd modd cael signal. Teimlai Joyce ei bod yn freintiedig, yn cael eistedd ar ei phen ei hun, heb orfod torri gair efo neb, na gwarchod bag unrhyw un arall.

Roedd Joyce wedi meddwl tipyn am hyn ar y daith yn y llong, wrth swatio a hel ei chymalau ati ar y sêt. Tasa Joyce yn onast efo hi ei hun hefyd, doedd hi ddim isio i neb gofio eu bod wedi ei gweld hi ar ei phen ei hun, a chario straeon wedyn yn ôl adra ar ôl dychwelyd o'u *Day Return*. Roedd bod ar eich pen eich hun fel tasa fo'n rhywbeth i fod â chywilydd ohono fo wrth gyrraedd y canol oed 'ma. Roedd hi'n rhy hen i fod yn ifanc a nwyfus, ar drothwy'r byd, ac eto'n rhy ifanc i fod yn rhywun fyddai'n ennyn cydymdeimlad. Yn llygaid y byd, roedd dynes ganol oed ar ei phen ei hun am ddau reswm: un ai am ei bod yn wrthodedig neu am ei bod yn hunanol, meddyliodd Joyce. P'run oedd hi, tybed? Tasa hi'n gorfod dewis, peryg mai hunanol oedd hi. Roedd yn deimlad newydd iddi.

Doedd ei noson ar y llong ddim wedi teimlo fel noson o gwbwl, efo'r golau neon fel tasa hi'n ganol dydd, a'r criw yn mynd a dod yn ddyfal o hyd, i fyny ac i lawr yn eu hiwnifforms smart. Roedd hi wedi cysgu rhywfaint; ond pendwmpian oedd o fwya, dyna'r cwbwl. Roedd bron fel tasa cysgu'n iawn yn gneud iddi gyfadde ei bod i ffwrdd drwy'r nos. Doedd pendwmpian yn y golau llachar ddim yn cyfri, rhywsut. Doedd o ddim yn dynodi cyfnod o amser fel y byddai cysgu'n drwm wedi'i wneud. Wrth bendwmpian, gwelodd ei mam yn eistedd gyferbyn â hi ar y cwch, ei llaw yn ymestyn amdani, a'r bandej yn dechrau datod o gwmpas ei phen gan wneud iddi edrych fel creadur o un o ffilmiau Hammer Horror erstalwm.

Ymhen dau funud roedd trên wedi siffrwd o rhyw dwnnel yng nghyfeiriad y De, ac yn aros amdani. O edrych ar y map mawr ar y wal, roedd Joyce wedi sefydlu mai i gyfeiriad Howth roedd hi eisiau mynd, gan fod Tara Street ar y ffordd.

Pwysodd yn ôl a darllen enwau'r gorsafoedd wrth i'r trên aros yno am eiliad. Roeddent i weld yn dod heibio'n amal ar y naw, i gymharu â'r gorsafoedd ar hyd arfordir gogledd Cymru. Gwnaeth Joyce ymdrech i gofio'r enwau yn eu trefn: Salthill a Monkstown; Seapoint, Black Rock, Booterstown; Sydney

Parade; Sandymount; Landsdowne Road; Barrow Street; Pearse Street a Tara Street wedyn a'i brysurdeb. Roedd yr enwau Gwyddelig o dan yr enw mewn Saesneg, mewn ffont wahanol, ond doedd y trên ddim yn aros yn ddigon hir ym mhob stesion iddi fedru edrych yn iawn ar y rheiny. Fe ystyriodd hyd yn oed sgwennu'r enwau i lawr i gyd, ond doedd ganddi ddim papur na phensil yn ei bag bach tila. A ph'run bynnag, pwy mewn difri fyddai'n fodlon gwrando ar y litani?

Roedd oerni'r bora wedi sobri rhywfaint arni. Yn ara bach ar y llong, ac wedyn yn sicrach ar ôl iddi gyrraedd y tir mawr, fe ddechreuodd sylweddoli beth oedd hi wedi'i wneud. Ond eto doedd hi ddim yn gallu meddwl yn glir am y peth chwaith, dim ond gweld lluniau: bandej, ogla llosgi, sgrech ddi-baid ei mam yn cymysgu efo sgrech y ceir o'i chwmpas; hambwrdd crynedig, crych yn y mat, a rhif ffôn rhyngddi hi a'i gŵr …

Ond rŵan, yng ngolau egwan y bora, wrth weld pobol ffres yn dod i fyny ar y DART yn barod am ddiwrnod newydd o waith, roedd hi'n gorfod derbyn ei bod wedi bod i ffwrdd oddi wrth ei theulu drwy'r nos.

Fe ffonia i Ian, toc, meddyliodd. A theimlodd rywfaint gwell o benderfynu hynny.

* * *

Treuliodd Joyce ran gyntaf y diwrnod yn crwydro o gwmpas prif strydoedd Dulyn ac yn ymdoddi i'r dorf. Roedd Grafton Street yn dylifo o bobol erbyn hanner dydd, yn weithwyr swyddfa ac ymwelwyr, a phawb yn mwynhau'r haul oedd wedi mentro dangos ei wyneb drwy'r awyr fain.

Roedd yna ambell fysgiwr hefyd wedi dod allan i roi lliw cerddorol ar yr holl olygfa, yn taenu nodau rhythmig, Affricanaidd dros y siopwyr a'r gweithwyr. Safodd Joyce am sbelan yn gwrando ar hogyn ifanc hirwallt yn canu caneuon Christy Moore mewn llais main. Yr hyn oedd yn swyno Joyce oedd nid yn gymaint ei lais, ond yr argyhoeddiad yn ei wyneb ei fod yn rhoi perfformiad gwerth gwrando arno i'r bobol o'i gwmpas. Roedd wedi llwyr berswadio'i hun fod ganddo dalent, ac roedd y sicrwydd a'r hyder yma yn rhywbeth na allai Joyce lai na dotio ato. Ai rhieni gor-ganmoliaethus 'ta cyffuriau oedd yn gyfrifol am y fath hunan-dwyll, tybed?

Cafodd Joyce gip ar ei hadlewyrchiad yn ffenest un o'r siopau mawr, a synnodd o weld pa mor ddi-ddim yr edrychai ei chudynnau hir, difywyd, a'r lliw melyn oedd wedi'i daenu drwyddo fisoedd ynghynt yn gwneud i'r gwallt edrych yn fudur a di-raen. Oherwydd fod ei mam wedi mynd yn fwy fwy o lond llaw, roedd Joyce wedi dechrau canslo'r apwyntiada efo Heulwen i drin ei gwallt, gan gadw trefn ar y ffrinj ei hun efo siswrn cegin.

Aeth i mewn i fferyllfa fach deuluol i lawr un o'r strydoedd cefn a arweiniai o O'Connell Street, a phrynu un o'r pacedi lliw gwallt yna oedd yn para am ddeg golchiad. Roedd hi'n arfer gneud hyn yn amal pan oedd Ian a hithau newydd ddechrau canlyn. Newid lliw, a theimlo fymryn bach yn wahanol wrth neud. Roedd Ian wedi'i phryfocio radeg hynny ei fod yn teimlo fel tasa fo'n mynd allan efo hogan wahanol bob tro y byddan nhw'n cwrdd.

"Spicy Cappuccino" oedd yr enw ar y paced, a gwenodd Joyce wrth feddwl pa mor erchyll fyddai gorfod yfad y blincin stwff! Deg golchiad. Deg golchiad i ffwrdd o fod yn Joyce Parry efo gwallt 'di lifo'n felyn a ffrinj 'di dorri'n gam. Aeth yn ôl i mewn i'r siop, a phrynu tri phaced arall, gan wneud yn siŵr ei bod yn osgoi llygaid y ferch ifanc oedd wedi ei gwasanaethu'r tro cyntaf.

* * *

Ar ei thraed roedd y bai ei bod wedi galw mewn i dderbynfa'r gwesty ac eistedd i lawr er mwyn cael tynnu ei sgidiau ac archebu paned o de. Roedd y dderbynfa'n oer, gan fod yna gymaint o fynd a dŵad drwy'r drysau mawr dwbwl oedd yn agor allan i'r stryd. Ond roedd yr oerni'n braf i'w thraed. Roedd

Joyce wedi llwyddo i newid rhyw ugain punt i mewn i iwros mewn ciosg bach cyfnewid heb fod ymhell o'r orsaf, a rhoddodd fwy na digon o gildwrn i'r gweinyddwr ar y soser fach a adawodd iddi efo'r bil.

Wrth yfed y coffi cysurlon, craffodd ar y bordyn hirsgwar ar y wal oedd yn manylu beth oedd cost aros yn y gwesty. Pam fod dinasoedd wastad yn gneud iddi deimlo'n fudur? Roedd y syniad o gael bàth, yn fwy na gwely, yn syniad mor apelgar fel y cafodd Joyce ei hun wrth y dderbynfa'n archebu stafell.

Edrychodd y ddynes ganol oed yr ochr arall i'r ddesg ar y bag llaw oedd ganddi.

"Mae 'na ddigon o le i barcio rownd y cefnau. Sa chi'n licio i mi alw portar?"

"Sori?"

"Portar. Ar gyfer y cesys? Lle mae Dermot 'di mynd rŵan …?"

Ac fe ddechreuodd y ddynes edrych o'i chwmpas yn wyllt. Roedd hi'n atgoffa Joyce o brifathrawes yn chwilio am ddihiryn bach oedd wedi gwahanu oddi wrth gweddill ei ddosbarth ar drip ysgol.

"'Di o byth o gwmpas os oes 'na waith iddo fo 'neud … Dermot!"

Sut oedd edrychiad rhywun yn gallu awgrymu cymaint o bethau amdanyn nhw, tybed, meddyliodd Joyce. Sut oedd y ddynes yma nid yn unig wedi darganfod gŵr iddi hi ond wedi penderfynu hefyd eu bod yn teithio efo cesys mawr trwm oedd yn gofyn am help porthor i'w cario?

"Sdim isio … fy hun ydw i … a dwi'm angan portar!"

"Ddim stafell ddwbwl ddudsoch chi, Madam?"

Ysgydwodd Joyce ei phen a chadarnhau mai stafell sengl oedd hi isio. Am noson yn unig. Trodd ei modrwy priodas rownd a rownd ar ei bys wrth ddeud. Gwenu'n broffesiynol wnaeth y ddynes ganol oed, fel petai hi'n deall i'r dim.

Ond pan stwffiodd Joyce y cardyn bach plastig i mewn i'r hollt a gwthio'r drws ar agor, roedd y gwely sengl yng nghornel y stafell yn edrych yn affwysol o unig.

Eisteddodd Joyce ar erchwyn y gwely, fel tasa hi'n eistedd ar wely rhywun diarth. Ciciodd ei sgidiau oddi ar ei thraed drachefn, gan ryfeddu am eiliad ar y bwa a luniodd un esgid drwy'r awyr cyn syrthio'n ddiseremoni wrth ei hochor.

Edrychodd wedyn ar y ddau fag plastig o siop y fferyllydd. Byddai lliw gwallt y "Spicy Cappuccino" yn mynd yn bellach tasa hi'n torri dipyn ar ei gwallt cyn ei lifo, meddyliodd eto. Roedd y syniad wedi bod yn cosi yng nghefn ei phen ers tro, yn chwara mig ac yn ailwthio'i hun eto nes ei bod yn gorfod gwrando arno. Roedd y siswrn torri gwinadd ganddi yn ei bag, byth ers y tro hwnnw pan aeth gwallt ei mam yn sownd rhywsut yn un o drolis Tesco, pan fu'n rhaid i Joyce ei gadael yn nadu tra oedd hi wedi mynd ar frys i brynu siswrn i'w rhyddhau.

Roedd y torri hwn yn achlysur llawer tawelach. Syrthiodd y cudynnau'n ysgafn ar garped y stafell, gan ffurfio siapiau hyfryd, gosgeiddig i ddechrau, yn nadreddu drwy'i gilydd ar y llawr. Erbyn i Joyce orffen torri, roedd y tameidiau gwallt ar lawr yn fyrrach, yn fwy miniog, fel gwallt dyn. Edrychodd ar y twmpath melynfrown am amser hir iawn cyn ei godi a'i osod yn y bin bach plastig yn y stafell molchi.

Dychrynodd braidd wrth edrych ar ei hadlewyrchiad yn y drych. Roedd ambell i gudyn wedi dianc rhag y llafn, ac yn hongian yn igam-ogam. Edrychai fel dynas o'i cho oedd wedi mynd yn wyllt efo cyllall. O dorri'r ambell gudyn anystywallt, fe edrychai'n well, dywedodd yn uchel, a cheisiodd yr adlewyrchiad wenu'n ôl arni.

Byddai'n rhaid i'r "Spicy Cappuccino" aros ei dro. Yn sydyn, teimlai Joyce fel hen gant. Roedd ei sgwyddau'n stiff, a'i choesau'n wayw i gyd o fod wedi cyrlio fel cath ar sêt y llong. Ymhen munudau, roedd Joyce wedi tynnu'i dillad oddi amdani a llithro rhwng cynfasau oer y gwely cul. Daliodd ei gwynt, a gwrando ar sŵn traffig Dulyn y tu allan. Sŵn traffig a dim byd arall. Sŵn pell na allai ei chyrraedd. Sŵn neb arall, dim ond sŵn ei hanadl hi ei hun yn trio dianc yn slei bach drwy'i ffroena.

Pennod 12

Ian

"Iawn, diolch ti Malc … rhwbath fedra i … Ia, iawn."

Diffoddodd Ian y ffôn a phwyso'n ôl yn flinedig. Doedd ganddo mo'r awydd lleia i aros yn y tŷ cythreulig yma drwy'r dydd eto heddiw, ond dan yr amgylchiada dyna fydda ora, medda'r Heddlu. Aros nid nepell o'r ffôn a rhoi cyfle i Joyce fedru cysylltu pan oedd hi'n trio gwneud.

I ddechra, roedd Ian wedi bod ofn mentro i'r tŷ bach hyd yn oed, rhag ofn na fyddai o yno pan ffoniai Joyce. Doedd o ddim isio i'r ffôn gael ei ateb gan gwnstabl neu gan ei mam, rhag ofn i'r peth lleia gynhyrfu'r dyfroedd fwy fyth ac argyhoeddi Joyce mai oddi cartra oedd y lle gora iddi. Doedd o ddim isio cymryd y siawns y byddai hynny'n digwydd. Ond y dyddia diwetha yma, ac yntau heb clywed gair ganddi, roedd Ian wedi dechra ymlacio rhywfaint, os ymlacio oedd y gair hefyd. Roedd rhyw 'sictod yng ngwaelod ei gylla o hyd rhywsut, rhyw hen deimlad annifyr nad oedd o isio meddwl amdano. Bellach roedd o'n mynd i'r tŷ bach ac yn aros yno am hannar awr, yn licio'r teimlad o fod wedi ei gau ei hun mewn stafell heb orfod ymateb i neb arall. Heb orfod aros am ffôn fyddai ddim yn canu. Duw a ŵyr be fyddai o'n deimlo petai'n mentro ymhellach na'r siop ar y gornel.

Cymerodd Ian joch arall o wisgi, a gorffan yr hyn oedd ar ôl. Estynnodd am y botal, ac ochneidio wrth weld nad oedd ond hannar modfadd ohono ar ôl yn nhin y botal. Byddai'n rhaid iddo ffendio rhyw ffordd o fedru picio lawr i siop Spar i ga'l potal arall cyn nos. Roedd yn gas ganddo orfod meddwl nad oedd 'na botal yn y tŷ rhag ofn i rywun alw. Ac roedd bywyd yn ddigon diawledig fel oedd hi, heb feddwl am ddringo ar y wagan a thorri'n ôl ar y wisgi, fel roedd y locym bach 'na wedi'i awgrymu. Unwaith y byddai pob dim drosodd, falla wedyn y gallai Ian feddwl am gwtogi, ond roedd pob mymryn yn help y dyddia yma. Pryd fyddai o'n medru dianc i Spar oedd y cwestiwn mawr.

"Dyna'r cwestiwn, te, Edna?" meddai wrth yr hen wreigan pan welodd hi'n ymddangos fel ysbryd yn erbyn ffrâm y drws.

"Ia wir, two and six," medda hithau, a diflannu am y parlwr ffrynt. Sylwodd Ian ar y gynffon o bapur tŷ bach oedd yn stribedu'n hir y tu ôl iddi. Ochneidiodd, a dechra tynnu'r papur yn ôl, fel roedd o wedi gweld ei nain yn casglu gwlân yn belan pan oedd o'n hogyn.

P'run bynnag, doedd Edna ddim ffit i ga'l ei gadael ar ei phen ei hun erbyn hyn. Roedd ei chyflwr wedi gwaethygu'n arw ers i Joyce ddiflannu – roedd Ian yn argyhoeddedig o hynny. Doedd hi ddim yn fodlon eistedd yn ei chadair yn gwylio'r *Teletubbies* fel roedd hi'n arfer neud cyn i hyn i gyd ddigwydd. Roedd Ian byth a beunydd yn dod o hyd iddi'n crwydro'n ddi-glem o gwmpas yr ardd neu yn y llofftydd, fel petai hi'n chwilio am rywbeth, ond heb wybod sut i ffurfio digon ar ei meddyliau i sylweddoli mai Joyce oedd yn absennol.

Weithia byddai Ian yn ei dal yn bytheirio rhywun dan ei gwynt, a doedd dim dwywaith gan Ian mai Joyce oedd yn ei chael hi mewn rhyw siâp neu ffurf; mwya tebyg y Joyce ifanc oedd yn mynd dan draed neu'n gneud llanast. Roedd tŷ Edna wastad wedi bod fel pìn mewn papur, ac o'r hyn a ddywedodd Joyce wrtho, uchelgais ddyddiol ei mam oedd ei gadw yn y cyflwr hwnnw, doed a ddelo. Rhywun oedd yn gneud llanast oedd ei phlentyn iddi, yn ôl Joyce, ac er ei bod wedi chwerthin wrth ddeud hynny, gwyddai Ian nad oedd y wên wedi cyrraedd ei llygaid. Nid oedd Joyce wedi cael y fagwrfa braf, ddi-boen a gafodd o adra ar y ffarm, yn unig blentyn ond byth yn blentyn unig yn y gymdogaeth glòs a fodolai yng nghefn gwlad y chwe degau. Dynas ddigon anodd i'w charu fu Edna erioed, ac roedd hi wastad wedi bod yn arbennig o finiog ei thafod wrth Joyce. Doedd Joyce byth yn siarad llawar am y peth, ond gallai Ian deimlo'r ias rhwng y ddwy o hyd.

Chwara teg i Malc, roedd wedi rhoi *compassionate leave* iddo am wythnos arall, a thra byddai'r cyfnod yma'n para. Er y byddai Ian yn rhoi'r byd am gael mynd yn ôl at ei ddesg, a phethau fel oedden nhw cyn i hyn ddigwydd, gwyddai mai adra oedd ei le fo ar hyn o bryd.

Doedd Ian heb wrando ar gyngor gweddill y byd i roi Edna mewn cartra. Roedd y Gwasanaethau Cymdeithasol wedi bod yn bla ers i Joyce fynd, yn galw unwaith y dydd ac yn cadw llygad ar sut oedd o'n edrych ar ei hôl hi. Damia nhw! Roedd yr heddlu wedi gorfod adrodd yn ôl iddyn nhw ar ôl i Edna gael ei gadael yn gweiddi nerth ei phen mewn ciw traffig. Ond rhywsut, allai Ian ddim llai na theimlo'n euog, ac yn awyddus i neud iawn am y peth drwy edrych ar ei hôl hi ei hun.

A be ddywedai Joyce tasa hi'n dŵad adra a ffendio 'i fod o wedi gadael i'w mam fynd i gartra y cyfla cynta gafodd o?

Canodd cloch y drws, ac edrychodd Ian ar ei wats. Naw o'r gloch. Roedd y ddynes *home help* yn gynnar heddiw. Roedd Ian wedi cyfaddawdu a chael y ddynes fach gron hawddgar i alw bob bora er mwyn gneud Edna'n 'barod am y diwrnod'. Ystyr hynny oedd diflannu i'r stafall molchi efo hi, ac ailymddangos hannar awr yn ddiweddarach, ac ogla sebon a thalcym powdyr lond y lle.

Agorodd Ian y drws i ferch ysgol, fel y tybiai ar y pryd. Roedd ganddi wallt golau wedi'i glymu'n ôl, a phan symudodd ei phen, sylwodd Ian fod y gwallt wedi'i dynnu'n gocyn modern ar gefn ei phen, a chudynnau o wallt yn tasgu ohono fel olwyn Gatrin ar noson tân gwyllt.

"Mr Parry?" meddai'n glên, a meddyliodd Ian pa mor hyderus a hunanfeddiannol y swniai am hogan ysgol oedd yn casglu arian raffl ne beth bynnag arall fyddai'n denu hogan ysgol at stepan drws tŷ diarth.

"Mr Parry?"

"Ia?"

"Dach chi'n 'y nisgw'l i'n amlwg …" meddai, a'r funud honno fe sylwodd Ian nad oedd ganddi ffurflen na thocyn raffl na dim yn ei dwylo.

"Chi sy 'di dŵad heddiw, ia? Be ddigwyddodd i Jane? Blino ar antics 'mother', siŵr gin i … ia?"

"Dach chi 'di camddalld …"

"Tynnu coes dwi. Dalld yn iawn. Fedrwch chi'm gyrru 'run un bob tro, er, mi nesh i ofyn iddyn nhw drio, fel bod Edna'n dŵad i arfa efo'r un un, te?"

"Rhian dwi … O'r *Journal* …"

Teimlodd Ian rywbeth yn troi y tu mewn iddo. Riportar oedd hon, wedi sleifio i mewn i'w dŷ o heb ddangos 'i lliwia mond pan oedd hi'n rhy hwyr. Dechreuodd wthio'r drws ar gau eto, ond roedd y gohebydd wedi gosod ei throed fel nad oedd modd cau'r drws. Wedi rhoi ei throed rhyngddo fo a'r hawl i gau'r drws ar y byd.

"Symudwch 'ych troed o fanna …"

"Mr Parry, chadwa i mohona chi …"

"Symudwch 'ych troed o fanna! Sawl gwaith … Sgin i'm byd i ddeud wrtha chi, *vultures* diawl!"

"Dwi 'di bod yma o'r blaen!"

Stopiodd Ian â gwthio ac edrych arni. Ddywedodd o 'run gair.

"Y diwrnod a'th Joyce i ffwrdd … fi oedd efo hi pan ddaru'i mam … Edna, ia? Pan ddaru Edna losgi'i gwallt a gorfod mynd i'r 'sbyty. Helpish i hi …"

Edrychodd Ian i fyw ei llygaid cyn rhyddhau ei afael ar

y drws a'i agor led y pen iddi. Roedd y cyfle i gael siarad efo rhywun oedd yn gwybod rhywbeth am Joyce yn amheuthun. Roedd hon wedi gweld Joyce ar ôl iddo fo ei gweld hi, y bora hwnnw pan gawson nhw'r ffrae. Y bora pan adawodd y ddau ei gilydd heb ffarwelio.

Roedd yn deimlad od ei gweld hi'n sefyll yn swil yn fanna yn y lolfa, yn edrach yn ofnadwy o ifanc a thlws rhywsut, yn ddiniwad, yn ddilychwin, yn sefyll yn ymyl yr hen soffa fawr flêr. Tŷ hen bobol oedd hwn wedi mynd ers i Edna ddŵad atyn nhw. Roedd jesd gweld yr hogan ifanc yma'n gyrru rhyw asbri drwy'r lle, hyd yn oed dan yr amgylchiadau hyn.

Roedd hi'n ddigon cwrtais i beidio eistedd i lawr ar unwaith, sylwodd Ian, ac fe gynigiodd sêt iddi. Ac yna panad. Derbyniodd hitha'n ddiolchgar.

Doedd 'na ddim golwg o 'run pad sgwennu na dim byd ar ei glin pan ddaeth o'n ôl o wneud y baned, chwaith, ac fe deimlodd Ian ychydig bach gwell oherwydd hynny.

"Ydy Edna'n dal efo chi ...?"

"'Di hi 'di marw dach chi'n feddwl?"

"Wel ... naci, holi os oedd hi mewn cartra ..." ffwndrodd Rhian.

Gwenodd Ian wrtho'i hun a'i hachub o'i chyfyng-gyngor.

"Mae o'n gwestiwn digon teg. Hen ledi yn 'i hoed hi ..."

"Yndi, mae'n siŵr ..."

"Mae hi'n dal efo ni ..." Ceisiodd Ian ei orau i beidio ochneidio. "Ond ddim efo ni chwaith, os dach chi'n dalld be sgin i! Does 'na neb call yn rhoi 'i wallt ar dân, nagoes ...?"

"Alzheimer's," meddai Rhian, fel tasa hi'n farnwr yn pasio dedfryd. "Taid 'run fath yn union ..."

"Ia, 'fyd ..." Ceisiodd Ian swnio fel tasa ganddo fo ddiddordeb.

"'Di cael gafael ar fatsys oedd hi ..." meddai Rhian, ond doedd Ian ddim yn gwrando'n iawn. "Ddudish i y baswn i'n cadw mewn cysylltiad – i weld sut oedd hi ..."

"Ond mi a'th Joyce ..." Roedd Ian yn swnio'n ddifynadd, a dyna sut y teimlai hefyd. "Tu allan i stesion Bangor, ynghanol ciw o draffig a phob dim ... Jesd agor drws y car a mynd ... Yr injan yn dal i redag, medda'r polîs."

"Ia ... dwi'n gwbod ... redon ni'r stori ..." Ac fe dawodd yr hogan ifanc, fel tasa hi'n synhwyro ei bod yn swnio'n ddideimlad iawn yn trin y digwyddiad fel rhywbeth oedd wedi llenwi colofnau mewn papur newydd.

"Doedd 'na'm arwydd ... fod Joyce yn dymuno diflannu ...?" Roedd llais y ferch yn betrusgar.

"Dim mwy na mae neb arall ohonan ni isio diflannu ..."

"Be dach chi'n feddwl?"

Edrychodd Ian arni a synnu nad oedd hi'n gallu deall.

"Pawb isio neidio ar fws a mynd i ben draw'r terminal weithia, dydyn?" Cofiodd am yr oerni yn ei llais, am y diffyg ffarwelio.

"Dach chi'n meddwl?"

Saib. Teimlodd Ian ei fod wedi deud gormod wrth yr hogan ddiarth hon yn barod.

"Ond doedd 'na'm llythyr, dim nodyn 'di'i ada'l ..."

"Dim ... Yr heddlu 'di chwilio'r lle'n drwyadl ..."

Droriau a'u gweflau mewn crechwen ... Silff lyfrau wag fel gwên ddiddannedd.

"Oedd 'na ffrindia ...? Fasan nhw'n gwbod rhwbath?"

"Doedd 'na'm ffrindia ..." Ac yna ychwanegodd, "Neb digon agos ... Ond peidiwch â deud hynny yn 'ych papur newydd, iawn? Gneud Joyce allan i fod yn hogan heb ffrindia. Sa fo'm yn iawn."

"Dwi ddim 'di dŵad yma i bardduo neb, Mr Parry ..." Roedd y wên ar ei hwyneb yn ddiffuant.

"Pam oeddach chi yma, y tro cynta …? Y diwrnod ddiflannodd Joyce?"

"Pam ddes i yma?"

"Ia …"

Ai dychymyg Ian oedd o, ta oedd 'na arlliw o wrid yn cropian ar hyd ei bochau rŵan wrth iddi feddwl am ateb y cwestiwn? Aeth ennyd heibio, ac roedd Ian yn ymwybodol o dician cloc y gegin fel petai o'n dod o bell, bell i ffwrdd …

"Isio ca'l ymatab … isio gwbod sut …"

Roedd hi i weld yn cael traffarth garw i fynegi ei hun, mwya sydyn. "Gneud cyfres ydan ni … digwyddiada deng mlynadd yn ôl … Meddwl sut oeddach chi fel teulu 'di symud mlaen …"

Er mawr syndod iddo fo'i hun, chwerthin wnaeth Ian, a chodi ar ei draed. Yn reddfol, cafodd ei hun yn estyn am y botel, ond cofiodd mai hannar modfadd pitw oedd ar ôl ynddi. Trodd, ei figyrnau'n gwasgu ac yn cau am ymyl y bwrdd.

"Champion, de! Gei di sgwennu yn dy bapur bod ni'n champion 'ŵan, cei? Blydi grêt. Mam-yng-nghyfraith hannar call 'di dŵad i fyw atan ni i biso'n gwely ac ar 'n penna ninna bob dydd, 'y ngwraig i'n methu cymryd y straen a 'di heglu hi i rwla … Yn gelain mewn ffycin ffos cyn belled ag y gwn i …"

Roedd o'n crynu rŵan, yn crynu'n wirion fel tasa fo ar ryw feddyginiaeth ac yn methu cael ei ffics. Ddywedodd neb 'run gair. Gallai Ian glywed yr hen wreigan yn llusgo'i thraed yn y llofft, yn symud hwnt ac yma, o un stafell i llall, yn chwilio, chwilio …

Efallai mai'r olwg ar wyneb Rhian a wnaeth i Ian ddŵad ato'i hun. Doedd o rioed yn medru cynnal bod yn gas am yn hir iawn, fel tasa'r holl weithred yn embaras iddo fo, rhywsut. Roedd trio bod yn glên gymaint yn haws … Ond heddiw roedd yr hogan ifanc yma o'r *Journal* yn gallu cynnig rhywbeth iddo fo; ganddi hi roedd yr allwedd i pam fod Joyce wedi mynd.

"Sut oedd hi ... Joyce ...?"

"Pan welish i hi? Y diwrnod ddiflannodd hi ..."

"Ia, sut oedd hi ... ynddi'i hun, 'lly ..."

Roedd yr heddlu wedi bod drwy'r tŷ efo crib mân, yn chwilio am lythyr neu rhywbeth, dyna ddwedson nhw. Ond wrth i'r cwnstabl ifanc holi a oedd yna atig yn y tŷ, atig ddigon uchel i fedru sefyll fyny ynddi hi, fe wyddai Ian am be roeddan nhw'n chwilio go iawn. Am raff wedi'i glymu gan ddwylo crynedig, am gorff dynas yn siglo fel pendil.

"Dwi'm yn 'i nabod hi, nacdw? Anodd deud sut mae hi fel arfar ..."

"Ond oedd hi'n nyrfys, ar binna, yn fyr 'i thymar efo chi ...?"

"Wel, oedd ..."

Teimlai Ian ei galon yn llamu. Nid dychmygu oedd o fod Joyce wedi bod yn wahanol y diwrnod hwnnw, wedi bod yn wahanol i'r hen Joyce, ei Joyce o, y Joyce oedd wastad â phopeth dan reolaeth, gan gynnwys ei theimladau. Teimlodd rhywsut fod pethau'n symud ymlaen o wybod hyn, er nad oedd yn siŵr iawn pam.

"Ond mi oedd Edna â'i gwallt ar dân, a debyg fod gorfod trafod ... w'chi, be ddigwyddodd ... ddeng mlynedd 'nôl ..."

"Mali?"

"Ia ..." Roedd llais y gohebydd yn dawel.

Teimlai Ian yn rhyfedd yn deud enw'r fechan allan fel'na. Doedd o ddim yn cofio iddo fod wedi deud ei henw'n gyhoeddus fel hyn ers tro byd, ddim hyd yn oed o flaen Joyce. Er y byddai ei henw'n dirdynnu yn ei ben yn amal iawn 'fyd ...

Roedd Ian yn osgoi mynd yn agos at y stafell ym mhen draw'r coridor, drws nesa i stafall Edna. Ac ers blynyddoedd roedd o wedi rhoi'r tedi bêrs a'r dolia i gyd mewn bocs mawr efo ffrâm haearn, a'i osod ym mhen draw'r garej, fel tasa'r bocs yn llawn o stwff gwenwynig fyddai'n llygru pwy bynnag a ddeuai o fewn canllath iddo. Roedd Joyce wedi gwrthod gadael iddo droi stafell y fechan yn stydi neu'n gwpwrdd bocsys, ond roedd pob dim ond y gwely a'r papur wal "My little pony" wedi mynd i'r bocs yn y garej. O'r ffordd.

"Hen hanas 'ŵan ..." meddai, ond doedd ei lais ddim yn argyhoeddi neb.

Daeth sŵn symud rhyw gelficyn o fyny grisia, fel taran yn bell, bell i ffwrdd.

Pennod 13

Joyce

Edrychodd Joyce ar ffôn hirsgwar, henffasiwn y gwesty, fel roedd hi wedi'i neud ganwaith ers pythefnos. Roedd hi wedi llwyr fwriadu ffonio Ian ar y dechra, yn mynd i neud hynny ar ôl y gwpanaid goffi honno mewn rhyw gaffi modern sgleiniog yr aeth iddo'r bora cynta hwnnw pan oedd newydd gyrraedd oddi ar y trên. Doedd hi ddim yn mynd i fod yn alwad hir, dim ond digon hir i roi gwybod i Ian ei bod yn fyw ac yn iach, ac wedi gorfod dod i rywle ar ei phen ei hun er mwyn meddwl. Fyddai hi ddim yn rhoi cyfle iddo ei chwestiynu ymhellach, nac i holi lle'n union oedd hi. Fe fyddai hi'n gwrtais, fe fyddai hi'n gymesur. Fe fyddai hi'n holi am ei mam. Roedd hi wedi ymarfer ei geiriau'n berffaith.

Ond wedyn, pan deimlodd fallai y byddai'n teimlo'n ddigon cry i siarad efo fo, fe sylweddolodd ei bod wedi gadael y ffôn symudol ar ôl yn y car efo'i mam. A beryg y byddai defnyddio ffordd arall o gysylltu'n bradychu lle roedd hi yn rhy rwydd. Ei gyfrinachedd oedd y peth gorau ynghylch ffôn symudol: y ffrind perffaith, yn ddefnyddiol mewn argyfwng ond eto'n hollol driw. Doedd hi ddim isio i Ian wybod lle roedd hi yn rhy gynnar. Byddai'n rhaid iddi brynu ffôn symudol arall yn fuan.

Ond wnaeth hi mo hynny. Hyd yn oed ar ôl iddi fod yn Nulyn yn llawer hwy nag yr oedd hi wedi'i fwriadu, roedd hi'n tynnu'n ôl o estyn am ffôn a chlywed llais Ian yr ochr arall i'r lein. Roedd yn haws peidio.

Edrychodd ar ei hadlewyrchiad yn y drych hir oedd wedi'i lynu ar un wal. Roedd hi'n gwenu'n ôl ar yr hyn a welai yn llawer amlach y dyddiau yma. Roedd y steil gwallt byr newydd yn siwtio'i hwyneb yn well erbyn hyn, ac roedd hi wedi arbrofi efo amball i liw arall er mwyn gneud i liw ei gwallt fod yr union fel y dymunai iddo fod.

Taenodd Joyce ei dwy law dros ei chorff wrth edrych arni'i

hun yn y sgert ddu fer a'r flows newydd. Roedd hi wedi colli pwysau, doedd dim dwywaith am hynny, ac wedi gorfod prynu dillad un maint yn llai nag arfer. Doedd hi ddim wedi mentro defnyddio gormod ar ei chardyn credyd wedyn ar ôl ei ddefnyddio un waith i gael stafell yn y gwesty. Byddai'n dangos ei llwybr yn rhy rwydd petai Ian yn digwydd agor y bil pan ddeuai drwy'r post. Ac roedd hi'n ofalus wrth ddefnyddio'r cardyn twll-yn-y-wal. Ni fyddai byth yn tynnu pres ar yr un amser o'r dydd nac ar yr un diwrnod o'r wythnos, a byddai'n gwneud yn siŵr ei bod yn defnyddio gwahanol fanc, a gwahanol leoliad bob tro. Fe'i synnwyd gan ei chyfrwystra hi ei hun, ac roedd yn fater o foddhad iddi ei bod yn gallu diflannu i mewn i dorf mor rhwydd. Dyna oedd ei angen arni.

Roedd yn braf teimlo esgyrn ei phelfis yn gwthio'n bigog allan o'r cnawd unwaith eto, fel roeddan nhw'n neud erstalwm. Roedd yna bleser diamheuol rhywsut mewn gallu olrhain siâp y sgerbwd y byddai hi'n ei adael ar ei hôl i bydru mewn pridd.

Erbyn deg o'r gloch, roedd allan o'r gwesty eto, ac yn troedio llwybrau oedd yn dechrau dod yn gyfarwydd iddi. Teimlai'n well o fod yn camu allan yn bwrpasol o dderbynfa'r gwesty, fel petai ganddi fusnes yn y ddinas. Roedd y cymylau eira wedi hen gilio, a'r awyr las braf yn do ar Ddulyn am sbel.

Aeth heibio i Temple Bar, a chwd y noson cynt yn ffrwydrad oer, amryliw ar y palmant. Roedd y pontydd dros y Liffey eisoes yn dechrau llenwi efo pobol yn loetran gan fod y traffig gweithwyr wedi darfod awr ynghynt. Yr un oedd yr olygfa bob dydd: pobol yn edrych ar y dŵr budur, pobl yn cael tynnu'u lluniau efo tai tal amryliw Batchelors' Walk yn swatio at ei gilydd fel sowldiwrs yn gefndir. Roedd pawb isio profi y buon nhw yma, meddyliodd Joyce gan wenu. A hithau'n mynd allan o'i ffordd i geisio cuddio'i phresenoldeb.

Aeth ymlaen wedyn, a phasio ehangder dwy ffenast fawr ddwbwl oedd yn datgan fod gwersi Gwyddeleg ar gael yma, dim ond i chi droedio i mewn i "Gael Linn". Gwaetha'r modd, roedd Joyce eto i weld 'run enaid byw yno heblaw am yr hogan fach dywyll, ddel y tu ôl i'r ddesg.

Ni sylwodd ar y caffi i ddechra, neu o leia fe sylwodd arno drwy gil ei llygad a phasio heibio heb aros. Ar ôl mynd ymlaen ychydig fetrau, daeth Joyce at ryw sgwaryn bach tlws ar ddiwedd y stryd gul. Eisteddodd ar fainc yno, tanio sigarét ac edrych o'i chwmpas. Roedd yn sgwâr digon anodd i'w gloriannu. Ar un llaw, roedd hen siop gwerthu deunyddiau, a'r paent yn datgan yr enw bron ag ildio'r frwydr i ddal gafael yn y pren. Tybiai Joyce mai *O'Farrell's Haberdashery* oedd wedi'i sgwennu arno rhyw dro. Doedd hi ddim yn siŵr a oedd y siop ar agor ai peidio, neu a oedd y bleind dros y drws wedi'i dynnu lawr am y tro olaf. Yna, fel petai hi'n gwylio drama, clywodd dincial fregus cloch wrth i'r drws agor, a daeth hen wreigan fach dena efo gwallt claerwyn i'r golwg, fel twrch daear albino yn cau'i lygaid yn erbyn y golau dydd.

Mewn gwrthgyferbyniad, roedd yr unfed ganrif ar hugain wedi cyrraedd yr ochr arall i'r sgwâr bach efo siop yn gwerthu geriach cyfrifiadurol o bob math. Roedd honno, yn ei ffordd ei hun, mor farwaidd ag O'Farrell's, er gwaetha'r golau neon a'r lliwiau llachar.

Roedd yna fynd a dŵad drwy'r sgwâr, fodd bynnag, ac ymhen tipyn daeth dau gariad i oedi ar y wal fechan a dechrau cusanu. Syllodd Joyce yn agored arnyn nhw, gan ryfeddu at wallt yr hogan yn syrthio fel llen gopr y tu ôl iddi wrth iddi daflu ei phen yn ôl yn y gusan. Roedd ei dynerwch yntau tuag ati yn hardd, ac ni allai Joyce lai na theimlo'n hen a gwrthodedig yn ymyl yr angerdd dilyffethair yma. Damia nhw!

Tybed a oedd Ian yn dal yn y cyfnod angerddol, di-hid yna efo perchennog y rhif ffôn? Roedd Joyce wedi bod yn troi'r peth drosodd a throsodd yn ei phen, yn meddwl ai blerwch ynteu bwriad oedd i'w gyfri fod Ian wedi colli'r rhif ffôn ar lawr y gegin. Os blerwch, yna roedd Joyce wedi tanseilio'u bwriad i gadw'r affêr fach fudur yn dawel a chyfrinachol. Yn rhyfedd iawn, roedd yna ryw foddhad rhywsut o deimlo ei bod hi wedi difetha eu cynlluniau. Ond rhyw foddhad byrhoedlog oedd hwnnw, a buan iawn y daeth yr hen 'sictod yn ei ôl, o feddwl fod Ian wedi bod yn taenu'i fysedd dros gorff rhywun arall.

Ond os oedd Ian wedi bwriadu iddi weld y rhif ffôn, roedd hi wedi camu i mewn i'w ffau. Teimlai'n flin wrth feddwl ei bod hi wedi cymryd yr awenau unwaith eto, ac yn ddiarwybod iddi wedi arbed iddo'r embaras o orfod dechra ar gyffesu'r affêr wrthi, wyneb yn wyneb. Teimlai'n flin. Yn flin iawn. Roedd hwnnw'n emosiwn haws i'w gynnau rhywsut na'r digalondid fod Ian yn caru rhywun arall.

Cododd Joyce ar ei thraed a dechra cerdded yn ôl y ffordd y daeth. Ai dychmygu gweld caffi oedd hi wedi'i neud gynnau wrth basio? Falla 'i bod wedi cymysgu'r stryd hon efo stryd arall … Doedd hi ddim wedi prynu map yn fwriadol gan nad oedd ganddi hi wir awydd gwybod yn union i lle'r oedd hi'n mynd. Byddai coffi yn gneud y byd o les rŵan.

Ond cyn i Joyce gyrraedd y caffi a gallu cerdded i mewn iddo, bu'n rhaid iddi neidio i'r ochr er mwyn osgoi'r dyn canol oed blêr oedd wedi glanio ar ei bedwar ar y pafin o'i blaen.

"And let that be a lesson to yas!" medda llais benywaidd oedd yn canu'r geiria rhywsut, er nad oedd yna amheuaeth ynghylch didwylledd y sentiment. Gwelodd Joyce ferch dal, osgeiddig, a ffrwydrad o wallt wedi'i liwio â Henna yn syrthio'n gyrls llac dros ei hysgwydd.

"Magdalen, tyd yn d'laen rŵan, dipyn o dynnu coes …" meddai'r dyn, ond doedd Magdalen yn gwrando dim.

"Ffendia goes wahanol i'w thynnu. Ti'n hen ddyn budur, Seamus O'Hanlon, a dwi'm isio gweld lliw dy din di yma eto, dalld?"

Ac fe drodd y ferch ar ei sawdl a mynd 'nôl i mewn i'r caffi, ond nid cyn dal llygad Joyce a rhoi winc fach wybodus iddi, fel tasan nhw'n benna ffrindia.

Cymeradwyodd un o'r criw o smygwyr oedd yn sefyll tu allan i swyddfa fechan yr ochr arall i'r ffordd, cyn troi 'nôl at eu mwg a'u mwydro. Beryg fod y gwaharddiad ar smygu mewn tafarndai a swyddfeydd wedi agor byd newydd i'r rheiny oedd rŵan yn gorfod stelcian yn y stryd am eu smôc, meddyliodd Joyce.

"Sa'm croeso i neb fanna!" meddai'r gŵr canol oed dan ei wynt, roedd o wedi codi ar ei draed erbyn hyn, ac wrthi'n brwsio llwch y stryd oddi ar ei gôt fawr gwmpasog.

Fyddai neb felly wedi gweld bai ar Joyce am gyflymu'i cherddediad a mynd yn ddigon pell o'r fan. Ond camu i mewn i'r tywyllwch a wnaeth hi, camu i mewn a chael ei llyncu ar unwaith gan y lle. Gallai glywed y Fagdalen yn siarad o grombil y caffi yn rhywle.

"Na, Seimon! Dwi 'di deud a deud wrth y diawl budur. Mae o 'di mynd rhy bell y tro 'ma!"

Ac yna fe ymddangosodd o flaen Joyce, a'i llygaid yn chwerthin wrth ei nabod o'r stryd.

"Paid â phoeni. Dwi'm yn taflu pob un o nghwsmeriaid i allan! Mond rhyw un y diwrnod, ballu ... Ti'n saff am weddill heddiw!"

Gwenodd Joyce yn ôl.

"Oedd y ferch yma allan yna, welodd hi bob dim! Roedd y boi yn iawn, doedd? Welist ti o'n cerdded i ffwrdd yn iawn, do?" gofynnodd wrth Joyce, ac roedd yn deimlad braf cael ei thynnu i mewn i'r sefyllfa fel hyn.

"Do!" medda Joyce. "Doedd o'm gwaeth, i weld ..."

"'Na fo! Rŵan, stedda di lawr lle bynnag leci di ... Coffi, ia? A thôst poeth neis gan yr hogyn Seimon yma ... Does 'na neb yn curo hwn am neud tôst!"

Ac o fewn dwy eiliad roedd Joyce wedi eistedd wrth ymyl un o'r byrddau bach crwn ym mhen draw'r caffi. Pwysai ei chefn ar stribyn hir o blastig coch oedd yn ei hatgoffa o'r seti ar Waltzers Ffair Borth erstalwm. Roedd sawl un arall yn rhannu'r un stribyn, ond fod gan pawb ei fwrdd ei hun, wrth reswm. Sylwodd fod y cwsmeriaid yn cyfarch y gweinyddesau'n gynnes, a bod yna awyrgylch mwy Gwyddelig-gartrefol i'r lle nag yr oedd y fwydlen gyfandirol yn ei awgrymu.

Daeth Magdalen ati ymhen hir a hwyr gyda thwr o dôst wedi'i bentyrru'n igam-ogam ar blât. "Dyna ni ... Mi neith hynna i ti deimlo'n well dwi'n siŵr …" meddai, ac eistedd ar erchwyn y gadair wag gyferbyn â Joyce.

"Dydi hi ddim mor wyllt â hyn yma fel arfar, cofia! Er 'n bod ni'n ddigon prysur, diolch i Dduw, ne mi fasan ni i gyd allan ar 'yn tina yn y stryd! Dim Gwyddeles wyt ti, naci?"

"Cymraes …" medda Joyce, a difaru na fyddai hi'n un o'r bobol rheiny oedd yn gallu siarad mewn acen hollol wahanol ar amrantiad. Roedd ambell beth yn siŵr o'ch bradychu.

"Bron cystal, felly!" medda Magdalen efo gwên, gan sychu'i thalcen chwyslyd efo cefn ei llaw a thynnu'i gwallt yn ôl tu ôl i'w chlust wrth neud.

"Ar Noel mae'r bai 'i bod hi fel bedlam yma!"

"Noel?"

"Ia … Hogyn oedd yn arfar gweithio yma; 'di cymryd y goes ddoe – ca'l gwell cynnig medda fo!"

"Gwell cynnig?"

"Ia … yn un o'r caffis trendi 'na ar O'Connell Street … Talu'n well. Oria gwell. Cythra'l diog oedd o, dwi'm yn deud, a sa'm ots gin i, ond mae hi'n anodd cadw staff y dyddia yma …"

"Pam hynny?"

"Pawb 'run fath … Dinas ifanc 'di Dulyn, a digonedd o waith i ga'l … A tydi teyrngarwch yn cyfri dim efo'r petha ifanc 'ma!" meddai. Chwarddodd. "Gwranda arna i! Sa ti'n deud mod i'n hen nain, yn basat?"

Doedd Magdalen ddim yn bell o fod yr un oed â Joyce, ond rhywsut doedd hi ddim wedi ildio eto i wisgo dillad fydda'n diffinio'i hoed. Gallai fod yn ei hugeinia o ran ei dewis o ddillad.

"Ar wylia 'ma wyt ti?" Roedd Magdalen yn craffu arni.

"Wel … y … naci, wel, ddim yn hollol …"

"Dynas ddirgel, ia?" Roedd hi'n gwenu ar Joyce, ond heb wneud hwyl am ei phen. "Ond dwi'n licio dy olwg di … Mags ydw i … Magdalen i Mam a phawb sy'n flin efo fi ac isio trio fy rhoi fi yn fy lle!" meddai, gan estyn llaw fodrwyog allan i Joyce gael ei hysgwyd.

"J … Jan," meddai Joyce ac ysgwyd ei llaw. Roedd y celwydd

yn llifo mor hawdd! Ei henw newydd hi'n dod allan o'i cheg fel petai hi 'di bod yn ymarfer ei ddeud.

"Jan," meddai Mags, a gwenu. "Joban gweini i ti yn fan'ma os ti isio hi! Fedrai'm gaddo y gnei di dy ffortiwn, ond mi gei di hwyl yn trio!" Amneidiodd at y plataid o dôst, a'r menyn yn dechrau cawsio ar y bara. "'Stynna at hwnna 'ŵan wir, cyn 'ddo fo oeri!"

Gwaeddodd rhywun ei henw o'r gegin ac fe ymatebodd Mags yn yr un ysbryd.

"Iawn! Dŵad rŵan! Sdim isio gweiddi ne mi ei di'n hen o flaen dy amsar!" A chyda winc ar Joyce, diflannodd Mags i mewn i'r gegin i nôl plataid o fwyd i'r cwsmer nesa.

Cymerodd Joyce frathiad petrusgar o un tamed o dôst a dechra cnoi, gan edrych o'i hamgylch a meddwl.

Roedd Mags wedi deud ei bod yn licio'i golwg hi. Roedd hi wedi cael cynnig gwaith ar gelwydd, felly. Ar enw gneud a delwedd roedd hi ei hun wedi'i chreu o ddynes sengl, dilyffethair.

Teimlai Joyce yn anesmwyth. Un peth oedd mwynhau'r wefr o droedio strydoedd Dulyn a chael esgus wrthi hi ei hun nad Joyce Parry o Fangor oedd hi. Roedd y gyfathrach arwynebol o archebu bwyd neu brynu dillad yn hawdd, mor syml fel nad oedd yna dwyll yn rhan o'r peth. Peth arall yn llwyr oedd honni iddi fod yn rhywun arall ac wedyn cael cynnig gwaith ar sail y celwydd hwnnw.

Dim ond wrth i Joyce godi'i llygaid drachefn y sylwodd ar y dyn pryd tywyll yn sbio i'w chyfeiriad. Roedd ei wallt yn donnau tywyll anystywallt, yn bwrw dros ymyl ei goler. Meddyliodd i ddechrau mai ar rywun arall yr edrychai, ac edrychodd i lawr. Wrth godi'i llygaid eto, fe wenodd y dyn a hanner codi'i law i'w chyfarch.

Cododd sawl person cu pen wrth i Joyce ruthro drwy'r caffi at y drws, gan adael mwy na digon o iwros yn y soser fach wrth ymyl y lle talu.

Pennod 14

Joyce

Roedd hi'n dal yn olau dydd pan ddeffrodd Joyce yn ei gwely yn y gwesty a rhyw araf ddŵad at ei hun. Bu'n cysgu am oriau, mae'n rhaid, a'i hwyneb yn bwfflyd gan gwsg.

Am funud, doedd hi ddim yn credu lle roedd hi, gan fod y freuddwyd am ei chartra mor glir. A theimlad llaw fach Mali yn ei llaw hitha, yn gynnes ac yn feddal, ac yna'n llithro i ffwrdd oddi wrthi'n ara deg bach …

Cofiodd wedyn, neu ar unwaith falla, amdani'n rhedeg i ffwrdd mewn panig o'r caffi, bron iawn fel tasa hi'n trio rhedeg i ffwrdd rhag y ddelwedd abswrd yma roedd hi wedi bod yn ei chreu dros y pythefnos diwetha yn Nulyn. Cosb oedd breuddwydio am Mali. Cosb.

Roedd hi wedi dysgu ei hun i beidio meddwl am Mali rhagor. Dyna'r unig ffordd. Doedd Joyce ddim yn deall y bobol rheiny oedd yn gallu cynnau cannwyll i gofio pob pen-blwydd, pob dathliad. Teimlai'n eiddigeddus ohonyn nhw'n medru rhoi trefn ar y peth, rhywsut. Ffurfio eu galar yn dorch o flodau ar fedd, neu'n gyfarchiad er cof yng ngholofn bersonol y papur newydd. Doedd dim atalnod i stori diflaniad Mali, a than iddo ddod, fe fyddai Joyce yn cario mlaen, yn trio peidio meddwl. Yn trio peidio cofio.

Roedd hi bellach yn hen law ar y technegau roedd yn rhaid eu mabwysiadu os oedd rhywun am oroesi. Cau drws ar ran ohonach chi, rhewi canol eich pwll o emosiyna er mwyn gallu rhoi un droed o flaen y llall, er mwyn gallu cofio anadlu bob dydd. Er mwyn bod *isio* anadlu bob dydd.

Roedd sbio draw pan welai blant bach yn dynesu wedi mynd yn rhywbeth a wnâi'n reddfol. Roedd hi wedi hen arfer gwenu yn y mannau priodol pan fyddai mamau'n siarad am eu plant. A bod yn amyneddgar wedyn pan oedd y mamau rheiny'n cofio, mewn arswyd, eu bod yn siarad â rhywun oedd wedi mynychu corneli tywyll profiad; corneli y bydden nhw'n gweddïo na fydden nhw byth yn mynd yno eu hunain.

Roedd colli plentyn yn rhywbeth oedd yn eich gosod ar wahân i bawb arall. Doedd o ddim fel unrhyw brofiad arall o alar. Roedd o bron fel tasa pobol yn teimlo y bydden nhw rhywsut yn cael eu tynnu mewn i erchylltra'r cyfan petaen nhw'n dod rhywfaint yn nes. Roedd yna elfen wahanglwyfus i'r galar o golli plentyn. Doedd neb isio mentro'n rhy agos.

Eisteddodd Joyce i fyny yn y gwely a chraffu ar ei wats. Pedwar o'r gloch y pnawn. Awr pan oedd pawb yn gneud rhywbeth, yn paratoi at rywbeth, yn flinedig ar ôl gneud rhywbeth.

Yr eironi oedd nad oedd hi isio plant ar y dechra. Oherwydd ei magwraeth ei hun, doedd Joyce ddim isio cymryd y cyfrifoldeb am les a hapusrwydd unigolyn arall. Yn wahanol i lawer o bobol, hwyrach, roedd Joyce yn ymwybodol iawn o wir oblygiadau bod yn rhiant. Ac yn sylfaenol, doedd Joyce ddim isio dilyn ôl troed ei mam.

Ond newidiodd popeth pan welodd Joyce Mali am y tro cynta. Daeth y nyrs â'r fechan ati, wedi'i lapio fel y baban Iesu yn nrama'r geni. Cofiodd Joyce iddi fod yn betrusgar wrth estyn ei llaw amdani, yn hanner disgwyl i'r babi gilio'n ôl mewn dychryn a chrafangu am y nyrs. Ond wrth i fys Joyce ddynesu at law fach y babi, diflannodd pob amheuaeth. Gafaelodd y babi fel cranc ym mys ei mam, fel tasa hi'n deud "Dwi yma! Edrycha ar f'ôl i!" Seriodd ei llygaid tywyll ar Joyce.

Ac am y tro cynta, fe sylweddolodd Joyce nad peth cyffredin oedd ymddwyn fel roedd ei mam wedi ymddwyn tuag ati hi. Hyn oedd yn iawn; hyn oedd yn naturiol. Fe ddaeth y cariad yn rhwydd wedyn, a Joyce yn brwydro bob dydd i beidio ag ailadrodd ei magwraeth hi ei hun. Yn brwydro, ond heb ennill y frwydr bob tro.

Ac yna fe chwalwyd popeth.

Diwrnod gwyntog braf oedd o, pan oedd yr haul mor ysgafn â mwslin melyn yn taenu'n ysgafn garuaidd dros bob dim, a'r awel yn dawel i ddechrau ac yna'n fflyrtian yn gellweirus efo pawb. Prin y gallai Joyce gredu ei fod yr un diwrnod â'r diwrnod y bu i Mali ddiflannu.

Roedd yn ddydd Sadwrn fel pob dydd Sadwrn braf arall, y math o ddiwrnod oedd yn denu'r mamau allan, a'u plant yn gonffeti anystywallt wrth eu cynffon.

Bu'r ddwy ohonyn nhw, Mali a hithau, yn chwara yn yr ardd, ac wedi hen swnian gan y fechan, roedd Joyce wedi mynd i nôl y pwll padlo bychan o'r sied.

Mam oedd wedi'i brynu iddi ddechrau'r haf, ond roedd yn gas gan Joyce o glywed gwichian ei bysedd ar y plastig, a gorfod bustachu i ddadbacio'r lliwiau i gyd o'i fwndel twt yng nghefn y garej. Ond roedd ei heuogrwydd wrth glywed Mali'n holi'n ddel amdano wedi bod yn ormod iddi'r diwrnod hwnnw, ac mewn pwl o garedigrwydd fe ddaeth â'r pwll plastig allan. Roedd Mali wedi bod ar ben ei digon.

Mae yna funudau tyngedfennol mewn bywyd, dim ond dyrnaid ohonyn nhw mewn bywyd cyfan. Munudau bach sy'n glynu at ei gilydd fel siapiau llachar mewn paced o sticeri plant. Dim ond wrth eu rhoi yn rhan o'r cyfanwaith y byddant yn deud rhywbeth, yn dod yn siâp ac yn ffurf, yn golygu rhywbeth. Munud felly oedd hwn. Mynd i nôl y pwll padlo plastig a'i osod allan ar y glaswellt. A gweld wyneb Mali'n gloywi. Wrth edrych yn ôl ar hyn wedyn, prin y gallai Joyce gofio iddi fod mor falch o wneud dim byd erioed.

Ar ei ffordd i nôl y pwll plastig, roedd chwa sydyn wedi cipio yng ngodrau sgert Joyce a'i thaflu reit dros ei phen. Roedd Mali wrth ei bodd, rhwng bod wedi cyffroi am gael padlo yn y pwll a phob dim, ac roedd cael gweld y gwynt yn chwarae mig efo sgert Mam yn goron ar y cyfan. Aeth at ei mam, a thynnu'n ysgafn ar ei chrys gan sibrwd yn gellweirus, "Nicar coch streips gwyn!" a Joyce wedyn yn neidio i fyny mewn ffug embaras a dechrau rhedeg ar ôl Mali rownd yr ardd. Mam a merch hapus, fel mewn ffilm cartra.

Ymhen hir a hwyr, wedi chwarae deinosors dŵr a morfilod

rheibus, roedd yr awel wedi dechrau mynd yn fain, a breichiau matsien y fechan wedi dechrau mynd i grynu a'i dannedd i glecian. Damiodd Joyce wrthi'i hun nad oedd wedi bod yn ddigon hirben i ddŵad â'r tyweli allan i'r ardd efo nhw. Ian fyddai'n stwnsian efo'r fechan allan yn yr ardd fel arfer, ac roedd felly'n fwy cyfarwydd na hi â'r drefn.

"Ma' Dad wastad efo tywel i Mali!" medda Mali, yr hwyl a'r newydd-deb yn pylu'n sydyn yn wyneb yr oerni disymwth. Gwgodd Joyce yn ôl. Hyd yn oed ar ôl chwe blynedd o fagu, roedd natur oriog plant, a'r ffordd y gallent newid eu tymer a'u hwyliau mewn chwinciad, yn dal i beri siom i Joyce. Pan oedd hi'n ifanc, roedd Joyce wedi hen arfer clustfeinio am y newid lleia yn nhymer ei mam, ond rhywsut roedd Mali'n ei dal allan o hyd.

Rhedodd Joyce i mewn i'r tŷ. Drwy ryw amryfusedd, roedd y cwpwrdd crasu o dan y grisiau'n gyforiog o bob dim ond tywelion, a bu'n rhaid i Joyce frasgamu i fyny'r grisiau at y cwpwrdd mawr. Canodd y ffôn – ei mam oedd yna.

"Fedra i'm siarad … Mae Mali'n yr ardd."

"Chadwa i mohonat ti'n hir …"

"Cha i'm amsar. Ma' Ian isio gneud barbyciw i ni heno, a mae Mali a fi isio picio i nôl amball beth o'r siop …"

Wedyn y llais dolefus, yn gneud ymgais wantan i fod yn ddewr, i deall. "Ti'n brysur. Rhy brysur i wrando arna i'n paldaruo …"

Teimlodd Joyce ei chalon yn suddo.

Edrychodd drwy'r ffenast at y pwll padlo. Roedd o'n wag. Mae'n rhaid fod Mali wedi mynd i fochel yn y gegin, neu eistedd dan gysgod y sycamorwydden a blannwyd ar achlysur colli'r gwningen fach ddu flynyddoedd cyn i Mali gael ei geni. Roedd y ferch fach yn mwynhau mynd i eistedd dan honno, i fwytho rhamant y syniad o'r blew du sgleiniog dan y goeden.

"Mam! Rhaid i mi fynd. Gawn ni siarad eto …"

"Dwi'm isio dy gadw di!"

Rhuthro wedyn i lawr y grisiau, a'r tywel yn ei llaw. Neb yn y gegin. Mali? Mali? Y goeden yn sefyll yn dal a gwag, a'r dail fel papur yn y gwynt. Arhosodd Joyce yn stond yn ei hunfan, yn teimlo fod y byd i gyd yn troi o'i chwmpas a'i bod hithau'n ganolbwynt i'r bydysawd, yn acsis i bopeth oedd yn digwydd. Ac eto'n medru gneud dim.

Roedd hi wedi teimlo'n euog ganwaith wedyn am wahanol bethau. Ar ôl iddi fynd, roedd Joyce wedi methu'n lân â chysgu, fel petai cysgu'n bradychu Mali mewn rhyw ffordd. Gwyddai fod Ian hefyd yn effro wrth ei hochr, yn gorwedd yn oer a llonydd wrth ei hymyl yn y gwely, y ddau wedi'u cau mewn amdo o euogrwydd.

Nid y ffaith iddi orfod gadael Mali i nôl tywel oedd yn poenydio Joyce, ond natur yr emosiwn cynta a deimlodd pan sylweddolodd fod Mali wedi crwydro. Teimlai'n flin efo hi, tasa hi ond yn cyfadde, yn flin am iddi beri trafferth iddi, am orfodi i Joyce fynd allan i'r stryd i chwilio amdani. Roedd poenau misglwyf yn pigo yng ngwaelod ei bol, a'r hen boen trwm yn trymhau ei hysbryd hithau. Blin oedd hi i ddechra. Feddyliodd hi 'rioed y byddai Mali wedi diflannu go iawn.

I ddechrau, roedd Joyce wedi galw arni efo'r un tinc chwaraeus yn ei llais ag o'r blaen, er ei bod yn synhwyro ei fod yn swnio'n ffals ac yn ymdrechgar. Roedd Mali'n siŵr o ymateb yn well i "Mami hwyliau da" na "Mami flin". Dim ateb. Edrychodd ym mhob twll a chornel o'r ardd, ac aeth yn ôl i'r tŷ i edrych unwaith eto drwy'r holl stafelloedd ar y llawr gwaelod, ac yna i fyny'r grisiau. Roedd ystafell Mali ym mhen draw'r landin. Doedd 'run golwg ohoni yn unman.

Hanner awr yn ddiweddarach, roedd hi wedi chwilio ymhobman, heblaw am y sied. Roedd Joyce yn gwybod na fyddai Mali fyth yn mentro i mewn yno at y gwe pry cop a'r angenfilod dychmygol oedd yn llechu yno'n barod amdani. Arwydd o anobaith Joyce, felly, oedd iddi anelu am ddrws y sied a'i agor.

Wrth gerdded yn ôl at y tŷ a'i meddwl yn rasio, roedd Joyce wedi sylwi ar yr esgid fechan binc dryloyw a orweddai ar ei hochor wrth ymyl y wal. Aeth ati a'i dal yn ei dwylo a'i mwytho. Prin bod y droed fach wedi gwneud unrhyw argraff ar y plastig. Prin bod 'na arwydd i droed fach Mali fod yn yr esgid o gwbwl.

Fu yna ddim golwg o Mali ers hynny. Ar y dechrau, yn sgil yr apêl ar y newyddion Cymraeg a'r straeon yn y papura, roedd yr heddlu wedi cael sawl galwad yn honni i Mali gael ei gweld yn y Rhyl, ar draeth Aberdyfi ac wedyn ar fws ym Mhenbedw. Bu'n rhaid i'r heddlu archwilio pob honiad yn ofalus, ond ddaeth dim o'r peth. Roedd hyn cyn dyfodiad y CCTV bondigrybwyll ar gornel pob stryd, fel nad oedd modd gwirio'r honiadau.

Daeth criw o nofwyr tanddwr, fel llyffantod duon hir, i archwilio'r llyn ar gyrion y pentre, ond i ddim diben.

Ac roedd yr heddlu wedi troi'r tŷ ben i waered hefyd wrth gwrs, rhag ofn fod y fechan wedi chwarae gêm guddio a honno wedi mynd o chwith. Dim ond wedyn y meddyliodd Ian a hitha falla mai chwilio am arwydd o anfadwaith oeddan nhw. Fod tad a mam wedi mwrdro'u plentyn eu hunain.

Deng mlynedd yn ôl oedd hynny. Deg pen-blwydd. Deg Dolig. Deng mlynedd o gadw drws y stafell wag ar gau.

Ai cosb mewn gwirionedd oedd y freuddwyd am Mali? Ynteu arwydd? Llaw fach yn gollwng gafael, yn rhoi caniatâd i Joyce gerdded ar ei phen ei hun . . . Byddai mynd i weithio i'r caffi a dechrau byw fel Ian yn cau'r drws am byth, falla. Yn rhoi'r cyfle iddi fedru mentro symud ymlaen a byw gweddill ei bywyd dan awyr wahanol.

Daeth Joyce allan o'r gwely ac ymestyn ei choesau i ystwytho'r cyhyrau. Aeth i'r stafell molchi, a gweld fod y dagrau wedi gadael llwybrau hallt i lawr ei hwyneb. Os oedd hi isio mynd yn ôl i'r caffi a derbyn cynnig Mags i weithio yno, byddai'n rhaid iddi gael bàth, meddyliodd.

Aeth i redeg y dŵr.

Pennod 15

Ian

Teimlai'r bag yn drwm iawn i Ian ar ei ffordd adra o'r siop, a'r ddwy botel yn clecian yn erbyn ei gilydd wrth iddo gerdded.

Doedd dim wisgi ar ôl yn y siop, medda'r hogyn bach llywaeth y tu ôl i'r cownter pan drafferthodd i godi'i ben o'r cylchgrawn pop o'i flaen. Pan ofynnodd Ian yn gwrtais pryd fyddai'r delifri nesa, gan drio'i orau i oresgyn y demtasiwn i weiddi yn ei wyneb i ddeffro tipyn arno, codi'i sgwyddau a wnaeth yr hogyn, a rhoi'i ben i lawr drachefn nes bod ei wallt yn syrthio fel llen o'i gwmpas.

Bu'n rhaid iddo fodloni, felly, ar brynu dwy botelaid o win, a gwnaeth sioe o ddewis un wen ac un goch yn ofalus. Byddai'n rhaid iddyn nhw neud y tro tan iddo gael cyfle i fynd allan eto fory.

Roedd Rhian yn eistedd ar stepan y drws yn disgwyl amdano pan gyrhaeddodd adra. Welodd hi mo Ian yn agosáu, a gallodd Ian ei gwylio heb iddi wybod; roedd wedi tynnu ei hun yn belen yn erbyn miniogrwydd y gwynt, ac yn cwpanu'i dwylo am ei cheg pob hyn a hyn a chwythu arnynt i'w cynhesu. Doedd y siaced dila 'na ddim yn ddigon amdani heddiw, yn amlwg, meddai Ian wrtho'i hun. Ond roedd hi'n fodlon eistedd yno ar stepan y drws, yn aros amdano. Roedd yn deimlad braf cael rhywun yn disgwyl amdano fel hyn. Yn enwedig rhywun fel Rhian. Yn enwedig ar ddiwrnod fel heddiw.

Cododd Rhian ei phen wrth i Ian ddynesu, a'r poteli diawl yn bradychu pwrpas ei ymweliad â'r siop. Byddai wedi bod yn hapus i gael sefyll yno ychydig yn hwy, yn anweledig fel Morus y gwynt, jesd yn edrych arni'n disgwyl amdano.

"Fedri di ga'l dy arestio am hynna, sdi!" medda Ian, gan geisio cuddio'r crugni yn ei lais. "Harrassment ma' nhw'n alw fo, ia ddim?"

"Debyg iawn!" medda hitha yn yr un ysbryd, ac roedd ei llygaid yn gwenu.

"Tyd mewn ..."

Ymbalfalodd Ian yn ei boced am y goriada a gadael i Rhian fynd i mewn i'r tŷ o'i flaen. Ai dychmygu gweld llenni drws nesa'n symud oedd o, tybed? Ian Parry – 'i wraig o 'di 'i heglu hi a hogan hannar 'i oed o'n byw a bod yn y tŷ ... Damia nhw!

"Helô ...!" meddai wrth gamu i mewn i'r tŷ gwag. Arferiad yn anos i'w dorri na llw.

Rhyfadd fel oedd rhywun 'di dechra dŵad i arfar efo'r hen ledi, efo'r syna cyfarwydd annelwig oedd yn digwydd pan oedd yna berson arall yn rhannu'r un bedair wal â chi ...

Roedd o 'di teimlo'n ddiawledig yn mynd â hi i'r cartra. Roedd o wedi'i argyhoeddi'i hun y byddai'n llawar haws gan fod Edna efo'r tylwyth teg, a fawr callach tasach chi 'di mynd â hi a'i gadal hi ar y lleuad. Roedd un gadair freichia 'run fath â chadair freichia arall, meddyliodd wrtho'i hun. Un uffarn 'run fath â'r nesa ... A doedd yr *home help* yn ddim help am y dair awr ar hugain pan oedd Ian yn gorfod edrych ar ôl Edna ar ei ben ei hun, ei newid a chodi ati fel tasa fo'n codi at blentyn, ei suo i gysgu'n ôl yn ei freichiau ganol nos, a disgwyl i'r ofn a'r cryndod ostegu'n raddol rhwng ei hesgyrn. A tasa Joyce yn dŵad yn ei hôl ac yn edliw iddo ei fod wedi gneud y fath beth, mi fasa fynta, erbyn hyn, yn gallu edliw yn ôl wrthi hithau hefyd, basa? Rŵan fod 'na fis 'di pasio, a dim gair. Dim ffôn, dim cardyn post, dim byd. Dim tan i'r sarjant bach 'na landio yma neithiwr.

"Gysgoch chi'n well neithiwr?" meddai hi, yn trio gneud sgwrs.

"Fel twrch! A Rhian?"

"Ia?"

"S'dim isio i ti ddal i ngalw fi'n 'chi', sdi … ddim ar ôl mis!"

"Sori … Anodd torri'r arfar!"

"Yndi …"

Roedd Rhian yn edrych arno, nid yn y ffordd newyddiadurol yna roedd hi'n gallu ei mabwysiadu, fel rhywun yn taro het ar ei ben ac yn newid rôl … ond mewn ffordd annwyl, gynnes, fel tasa hi'n wirioneddol boeni amdano.

"Ti'n iawn?" meddai wrtho, ac roedd Ian yn gweld ei bod yn gwneud ymdrech i ddeud y 'ti'.

"Champion, yndw!"

Doedd o ddim isio deud wrthi am ymweliad yr heddlu. Ddim eto. Allai o ddim esbonio'r peth, ond roedd 'na rywbeth yn gyfforddus ynghylch y limbo 'ma.

"Peidio gwbod 'di'r gwaetha, mae'n siŵr …" Dyna ddywedodd Malc wrtho pan alwodd draw echdoe. "Peidio gwbod …" Ar y pryd, roedd Ian wedi cytuno, gan mai dyna oedd sawl un arall wedi'i ddeud wrtho hefyd. Fel petai gwbod yn derfynol fod rhywun wedi marw, neu wedi diflannu am byth, yn rhywbeth haws i ddelio ag o na pheidio gwbod. Ond roedd 'na ryw hud ryfedd mewn peidio gwbod. Yn fanno oedd yr haul.

Pan aeth Mali, doedd Ian 'rioed 'di peidio credu y bydda hi'n dŵad yn ôl rhyw ddiwrnod; yn cerdded i mewn i'r tŷ ac eistedd wrth y bwrdd a gofyn am lasiad o ddŵr, fod ganddi stori hir i'w hadrodd … Doedd o 'rioed 'di peidio credu hynny, hyd yn oed rŵan, ar ôl deng mlynedd. Nid 'i fod o 'di deud hynny wrth Joyce 'rioed. Roedd yn haws gan rai wynebu'r cymylau.

Unwaith y byddai'n deud wrth Rhian heddiw, byddai'r awyrgylch yn newid yn llwyr; mi fydda petha'n symud ymlaen … Roedd o isio dal yn ôl am chydig bach hirach.

Aeth Rhian drwodd i'r gegin i daro'r tegell ymlaen, fel tasa hi'n byw yno. Manteisiodd Ian ar y cyfle i roi'r ddwy botel win ar dop y seidbord a gosod dau wydryn allan o'u blaena. Gobeithio na fydda Rhian yn teimlo 'i fod o'n beth anaddas i ofyn iddi fasa hi'n licio glasiad o win. Coch neu wyn. Darllenodd yn rhywle rhywdro mai dim ond pobol ddi-glem fydda'n yfad y stwff pinc hwnnw, er y bydda fo'n ei weld yn ddigon di-fai.

Edrychodd ar ei wats – chwartar i hannar dydd. Beryg ei bod hi wedi bod yn gweithio ar ryw stori neu'i gilydd ers y bora cynta, a bod chwartar i ddeuddeg yn nes at amser cinio iddi hi nag i lawar un. A rhywbeth i'w fwynhau efo rhywun arall oedd alcohol i fod, debyg iawn. Unwaith roedd o'n dechra mynd yn beth cyfrinachol ac yn rhywbeth y bydda rhywun yn neud mewn stafall wag ar ei ben ei hun, dyna pryd bydda petha'n edrych yn o giami.

Ond o fewn eiliadau roedd y ddwy botel wedi mynd i glwydo y tu mewn i'r seidbord, a'r drws wedi'i gau arnynt. Llwyddodd Ian i guddio'r ddau wydryn cyn i Rhian gamu i mewn o'r gegin. Doedd o ddim isio iddi feddwl ei fod o'n dechra ar y lysh mor fuan yn y dydd, nid fod chwartar i hannar yn fuan iawn fel y cyfryw. Ond roedd yn well peidio. Roedd Ian wedi ei dal yn edrych ddwywaith arno'n helpu'i hun i ddogn reit hael o wisgi un tro, a doedd o ddim isio rhoi rheswm iddi edrych fel'na arno eto. Doedd o ddim isio ei siomi.

Sylwodd Ian fod ei llygaid yn sgleinio.

"Dwi 'di siarad efo Guto'r Golygydd ..." medda hi, gan roi'r gwpan goffi'n ofalus yn ei ddwylo cyn mynd ymlaen at y soffa a thynnu tamed go fawr o bapur o'i bag. Cynigiodd y papur i Ian, a sylwodd yntau fod ei llygaid wedi'u serio arno; am ryw reswm gwnâi i Ian feddwl am hogan fach yn dangos ei gwaith cartre serennog i'w rhiant.

Dychrynodd Ian am eiliad wrth weld wyneb Joyce yn gwenu'n ôl arno, ag un llygad wedi'i gau yn erbyn yr haul. Rhian oedd wedi dewis y llun, o albwm lluniau'r teulu, ond rhywsut roedd y llun yn edrych yn ddiarth i Ian, wedi'i chwyddo'n fawr fel'na, mewn du a gwyn. Ac roedd castell Cricieth wedi diflannu o'r cefndir erbyn hyn.

Uwchben y llun roedd y gair "MISSING" wedi'i sgwennu mewn llythrennau breision, ac yna mewn print tipyn llai oddi tano, "CAN YOU HELP?"

"Wel?" meddai Rhian, fel petai hi ar dân. "'Di o'n ddigon?"

Dim ond wedyn y sylwodd Ian fod yna wobr yn cael ei chynnig i rywun fyddai'n gallu bod o gymorth i ddod o hyd i Joyce. Gwobr er mwyn ei chael hi'n ôl. Dau gan punt ...

Roedd Ian yn ymwybodol fod Rhian yn dal i siarad, a'i llais wedi meddiannu rhyw sioncrwydd nad oedd wedi'i glywed ganddi o'r blaen.

"'Dio ddim yn ffortiwn, dwi'n gwybod. Ma'n wyrth ei gael o gwbl sa chdi'n nabod Guto! ... Hen uffar cynnil ydy o efo unrhyw beth dydi o ddim yn ei weld yn ... Ddim isio ... rhy fuan, 'cofn ..."

Gadawodd i'r geiria grogi ar eu pennau'u hunain am eiliad, cyn ychwanegu: "Ond mi weithish i arna fo ..."

Cydiodd Rhian mewn cudyn o wallt anystywallt a'i roi y tu ôl i'w chlust. Roedd ei chroen fel marmor. Pa Guto allai wrthod dim iddi, meddyliodd Ian, a daeth rhyw 'sictod rhyfedd o rywle a setlo yng ngwaelod ei stumog.

"Honna 'di costio mwy nag un peint yn y Blue Boy i mi, dalltwch!"

"Dallta ... Dallta, ddim dalltwch ..."

"Ia ... Sori ..."

Roedd tawelwch y tŷ yn llethol rŵan, yn sefyll rhyngddyn nhw fel giard. Am eiliad teimlai Ian y byddai'n rhoi'r byd am gael sŵn bywyd bob dydd – rhywun yn camu i fyny'r grisia, miwsig roc yn pwnio drwy wal drws nesa ... Unrhyw beth heblaw'r distawrwydd yma oedd yn teimlo fel tasa rhywun yn dal gwn uwch ei ben, yn disgwyl iddo ymateb.

"Wanted – dead or alive ..." Doedd o ddim wedi bwriadu i'w lais swnio cweit mor sgiamllyd.

"Be?" Roedd hi'n edrych arna fo fel tasa fo wedi deud rhywbeth hollol anaddas.

"Apêl ydy o!" meddai wedyn. "Mae'n rhyfadd be mae poster a swm o arian arno fo yn medru neud i brocio co' rhai pobol! Ac o'n i'n meddwl falla 'sa MA Distribution yn medru'n helpu ni i'w dosbarthu nhw ar hyd a lled ..."

Torrodd ar draws ei llith. Roedd y crugni'n amlwg yn ei lais. "Pwy benderfynodd?"

"Pwy benderfynodd be?"

"Beth oedd 'i gwerth hi?"

Saib. Hen saib trwm, annifyr.

"Dim gwerth Joyce 'di hyn, naci, Ian?" Ochneidiodd Rhian. "Fel dudish i, rwbath i brocio'r co', abwyd i neud i rywun ddŵad ymlaen ..."

Teimlai Ian wedi blino mwya sydyn, fel tasa trio bod yn bositif ac yn ddewr am gymaint o amser wedi dal i fyny efo fo mewn eiliadau ...

"Wast ar amser."

"Be?"

"Wast ar blydi amser dio 'de? Ti'm yn gweld? Sa unrhyw un welodd rhywbath 'di deud erbyn hyn, siawns!"

"Nid pawb sy'n sbio ar y teledu ... darllan y papura ..."

Doedd Ian ddim yn gallu dal ei hun yn ôl, a doedd o ddim isio rŵan chwaith.

"Ac ma' pawb yn sbio ar bolion lamp, ydyn nhw? Y bobol 'ma sy wedi cael eu cau i fyny mewn rhyw swigan fawr fel arfar – ma' gin rheiny ryw ysfa i sbio ar bolion lamp i weld oes 'na rywun 'di diflannu, oes? Dyna ti'n ddeud wrtha i, Rhian? Dyna ti'n ddeud?"

Trodd Ian a symud yr ornament ar y seidbord, cyn agor y drysau mawr ac estyn am y botel win agosaf.

"Ti'n meddwl bod hynna'n syniad ..." dechreuodd Rhian

"Yn syniad da? Yndw, syniad grêt! Y gora dwi 'di gael heddiw!"

Roedd y caead yn sgriwio i ffwrdd reit handi a'r gwydryn wedi'i lenwi mewn eiliadau.

"Be sy, Ian? Ti'n wahanol ..."

"Ti am ddeud be sy?"

"Ydw i?"

"Gobeithio bod gin ti ddigon o'r posteri 'na dduda i."

"Be ti'n feddwl *digon*?"

"Werddon yn lle mawr, tydi? Lot o bolion lamp yn fanno."

"Werddon?"

"Alwodd y Sarjant bach 'na heibio neithiwr."

"Ia ...?"

Cymerodd ddracht dwfn o'r gwin, ond heb ei flasu go iawn.

"Ma' nhw 'di ffendio bod 'i chardyn hi 'di ca'l 'i ddefnyddio yn Werddon," meddai Ian.

"Yn lle yno?"

"Dulyn ... Rhyw westy, medda fo, ac amball i dwll-yn-y-wal 'fyd ..."

"Ond ma hynny'n dweud lot wrthan ni," meddai Rhian yn obeithiol.

Ysgydwodd Ian ei ben.

"Yma ac acw ... byth 'run lle, byth 'run amser ... clyfar."

"Wela i . . ."

"Ond does 'na'm byd 'di bod ers diwrnodau rŵan ... Ella bod y cardyn ar ben y Wicklow Hills erbyn hyn am be wyddon ni, ar y cei yn Galway, yn cuddio yn Connemara …"

Gallai Ian ei gweld yn edrych arno o gil ei llygaid, fel tasa hi ddim yn siŵr iawn sut i ymateb. Oedd hyn yn newyddion da? Yn golygu bod Joyce yn fyw ac yn iach ac yn byw i ffwrdd …?

"A ma' nhw'n medru bod yn sicr ma' hi sydd wedi bod yn …"

Roedd ei meddwl newyddiadurol praff yn ei ôl, meddyliodd Ian. Pan awgrymodd yr heddwas wrtho fo nad oedd hyn yn profi unrhyw beth pendant, doedd Ian ddim wedi ei ddalld i ddechra.

"Nacdyn … Dydyn nhw ddim yn sicr ma' Joyce 'i hun sy 'di bod yn defnyddio'r cardyn …"

Cymerodd Ian joch arall o'r gwin coch a synnu o weld y gwydryn wedi gwacáu mor sydyn.

Roedd Rhian fel ci hefo asgwrn. "Ond os oes 'na bres o hyd yn y cyfrif a fod y cerdyn 'di stopio cael ei ddefnyddio …"

Gallai Ian weld fod Rhian wedi atal ei dadl yn ei blas, heb leisio'r posiblrwydd amlwg fod rhyw anffawd wedi dod i ran Joyce.

"Meddwl weithia ella sa fo'n haws tasa …"

"Tasa be?"

"Wn i'm … Tasa hyn erioed 'di digwydd, ella …"

Doedd o ddim isio cyfadde wrth neb y byddai'n haws ar un wedd iddo fo dderbyn fod Joyce yn methu cysylltu. Roedd hynny'n haws i'w dderbyn na'r syniad fod Joyce wedi rhedeg oddi wrtho. Ei bod yn dal yn ôl mewn lle diarth rhag gorfod bod efo fo … Roedd y gwin yn llacio gormod ar ei dafod, yn gadael i'r geiriau lithro allan heb eu ffrwyno.

"Werddon yn lle mawr . . ." medda Rhian, ac am y tro cynta fe deimlodd Ian ryw oerni anobeithiol yn ei llais nad oedd wedi ei glywed o'r blaen.

Pennod 16

Joyce

"Dau *café latte* ac un Earl Grey ..."

Rhwygodd Joyce y tamaid papur oddi ar ei phad bach sgwennu a'i roi ar dop y cownter yn ymyl rhesaid o rai tebyg. Pan ddaeth hi i weithio i'r caffi i ddechra, roedd hi wedi dibynnu gormod ar y cof, fel roedd Mags i weld yn 'i wneud, ond roedd hynny wedi arwain at drybini. Roedd archeb weddol syml yn gallu troi'n gowdal o gamgymeriadau gan weinyddes ddibrofiad fel hi, ac roedd yn rhyfedd pa mor flin allai cwsmer fod wrth wynebu te cyffredin yn hytrach na the Ceylon, neu gael *pain au chocolat* yn lle *croissant* yn y bore. Ac roedd Seimon yn y gegin yn fwy milain byth.

Cyfaddefodd Mags ei bod hi'n trio rhoi wyneb ar yr archeb: os oedd 'na ddyn plorog yn archebu teisen gyraints, roedd pethau'n hawdd. A byddai'r sawl a archebai rywbeth arbenigol yn siŵr o wneud argraff arni.

"Cofio dyn unwaith ac ogla diawledig ar 'i wynt o, yn ordro te mint! Ti'n gweld be sgin i? Hen wreigan wedyn oedd yn edrach tua dau gant oed yn gofyn yn daer am unrhyw beth efo alcohol ynddo fo! Sut fedrat ti anghofio hynna! Welish i neb yn bwyta *Tiramisu* 'run fath â hi!"

Roedd Joyce wedi diolch iddi am ei chyngor ond wedi penderfynu y byddai sgwennu'r archeb yn arbed cryn dipyn ar ei dychymyg!

"Pob dim gen ti erbyn nes mlaen, Jan?" medda Mags wrth basio, a thaenu llaw ar draws ei thalcen yn ôl ei harfer. Roedd ei gwallt gwyllt wedi'i dynnu'n ôl yn gocyn y tu ôl i'w phen heddiw, a disgynnai ambell i gudyn strae o gwmpas ei hwyneb.

"Bagia yn y cefn ... Dydi Seimon ddim 'di deud dim byd eto! Neu ddim 'di sylwi!"

"Diolcha 'i fod o yn ei hwylia! Y wraig 'di dŵad adra ar ôl bod yn gweld ei chwaer yn Tipperary! Ma' Seimon wastad mewn hwylia gwell os 'di o'n ca'l mwytha! Tydan ni i gyd?" medda Mags, a rhoi pwniad i Joyce cyn troi ar ei sawdl a mynd i gymryd archeb ar fwrdd arall, gan wthio'i phensil y tu ôl i'w chlust fel arfer.

Doedd Mags ddim yn rhywun y gallech gadw cyfrinach oddi wrthi am byth. Roedd hi wedi tynnu'r ffeithiau gan bwyll bach allan o "Jan" – am yr ysgariad annymunol, am y tri mab oedd wedi tyfu i fyny bellach a gadael cartra, am y ffaith fod "Jan" wedi bod yn unig iawn yn ei hen fywyd. Nid Joyce ei hun oedd wedi gwirfoddoli i ddechra deud y fath gelwydd, ond rhywsut roedd un celwydd yn esgor ar gelwydd arall, hannar cwestiwn, yn gofyn am i Joyce ei orffen efo'r hyn roedd Mags yn disgwyl ei glywed … Cywaith oedd y cyfan: brodwaith o gelwyddau, breuddwydion ac ensyniadau. Brodwaith oedd yn gneud synnwyr perffaith, pob tamaid wedi'i glytio at ei gilydd i wneud un cyfanwaith newydd oedd yn cadw pawb yn hapus. A doedd popeth ddim yn gelwydd, beth bynnag. Gallai Joyce siarad am unigrwydd gydag arddeliad.

Teimladau digon cymysglyd oedd gan Joyce wrth ffarwelio y bore hwnnw efo'r stafell yn y gwesty fu'n gartref iddi am dros fis. Roedd hi wedi dod i nabod pob siâp ar y papur wal, wedi cynefino efo pob marc ar waelod y bath. Roedd y lle yn noddfa iddi ac yn rhywbeth sefydlog yn ei bywyd, ond deuai'r sefydlogrwydd hwnnw am bris, wrth gwrs. Doedd hi ddim yn mynd i allu byw mewn gwesty am weddill yr amser. Am weddill yr amser … Beth yn union oedd hynny'n ei olygu? Gweddill yr amser roedd hi ei angen i fod i ffwrdd a rhoi trefn ar bob dim ddigwyddodd ers i Mali ddiflannu a throi ei byd ben i waered? Gweddill ei bywyd? P'run bynnag oedd yn digwydd gynta …

Ond roedd cynnig Mags yn un hael, mor hael fel bod Joyce wedi derbyn yn syth. Teimlai fel y peth cywir i neud i fynd draw i aros at Mags. Roedd rhyw lojar arall yn y tŷ wedi'i heglu hi i rywle ganol nos ar fyr rybudd, a Harri, perchennog y tŷ, wedi bod yn gandryll o ddeall nad oedd o'n mynd i gael ei rent cyflawn am y mis hwnnw. Roedd o hyd yn oed wedi bygwth y byddai'n cael gafael ar bâr newydd i fyw yno, gan wybod yn iawn y byddai'n gas gan Mags adael y lle, a chan fod Joyce yn cael wad o iwros yn gyflog o'r caffi bellach, doedd dim rhaid iddi ymweld â'r twll-yn-y-wal i dynnu ar ei phres yn y banc ym Mangor. Roedd hynny'n rhoi teimlad rhyfeddol o annibyniaeth iddi. Torrwyd ar draws ei myfyrdodau gan lais cwsmer.

"Oes modd ca'l brecwast cyn cinio yn y lle 'ma …?"

"Iawn … ar fy ffordd …" meddai Joyce, heb edrych ar berchennog y llais, ac estyn ym mhoced ei ffedog am y pad sgwennu a'r bensil i gofnodi'r archeb.

Roedd y dyn yn gwenu arni hi, yr un wên fach swil, dreiddgar oedd wedi peri iddi aflonyddu cymaint y tro cynta iddi groesi trothwy'r caffi. Sylwodd Joyce ar y cysgod barf du oedd yn pupuro'i ên a hanner ei wddw, a meddyliodd ai wedi anghofio eillio oedd o, ynteu oedd o'n un o'r dynion hynny fydda'n gallu tyfu barf gymaint ag un Santa Clôs mewn deuddydd. Fel petai ots beth bynnag …

"Am be oeddat ti'n freuddwydio fanna?" meddai o wrthi, mewn llais siocled tywyll ac acen oedd yn perthyn i nunlla ond yn perthyn i bobman 'run pryd.

"Dim …" atebodd Joyce, a phrysuro i sgriblo rhif y bwrdd ar dop y dudalen rhag ofn iddi edrych yn rhy hir arno.

"Dim? Oes modd meddwl am ddim?"

"Hawdd … ti jesd yn sefyll yna a gadael i'r byd neud y meddwl a'r siarad o dy gwmpas di …"

Gwridodd Joyce. Roedd hi wedi deud gormod yn barod wrtho, wedi rhoi cip bach iddo'n fwy nag oedd rhaid. Roedd Mags yn sgwrsio mor ddiymdrech efo cwsmeriaid, ond rhyw dynnu coes a chwara gêma oedd hi efo pawb. Hyd yn oed mewn dinas gyfeillgar fel Dulyn, roedd yn rhaid i rhywun gadw hyd braich. Sgwrsio'n glên, bod yn gwrtais ac yn chwareus os oedd rhaid, ond cadw'r bwlch annelwig yna rhyngddach chi a'r cwsmer. Roedd y dyn yma fel tasa fo'n gweld fod Joyce yn anghyfforddus. Gwenu wnaeth o, ac arbed unrhyw embaras pellach iddi drwy archebu'i frecwast yn ddi-oed. Ond roedd y wên honno wedi bod yn ddigon i yrru rhywbeth drwy gorff Joyce, rhyw gynnwrf oedd yn gneud i jigsô'r byd fynd allan o'i le am eiliad, cynnwrf nad oedd hi wedi'i deimlo ers tro byd.

Pan aeth Joyce i fyny at y cownter efo'r archeb, roedd Mags wrth ei hochor yn syth, yn sibrwd yn ei chlust gan beri i Joyce wrido am yr eildro.

"Dydi hwnna ddim 'di tynnu'i lygaid oddi arna chdi ers i chdi ddechra 'ma – ti'n gwbod hynny?"

"Paid â bod yn wirion! Mae o newydd ddeud y drefn mod i'n ara deg yn dŵad ata fo!"

"Ffordd o ga'l dy sylw di 'dio ... 'Dio'm yn hyll chwaith, mi ro i hynna iddo fo! Pam mai brawd Quasimodo sy wastad yn fflyrtio efo fi?"

"Mags!"

Gwenodd Mags, cydio mewn plataid o facwn ac wy a diflannu at y cwsmer nesa. Wrth sefyll yno wrth y cowntar gallai Joyce deimlo fod y dyn yn dal i edrych arni, ac yn reddfol bron, fe sythodd ei chefn a sefyll yn fwy taclus nag arfer.

"Marc ydw i ..." meddai, ar ôl i Joyce fynd â'r bwyd draw ato.

"Helô Marc," meddai Joyce, gan wneud gormod o ymdrech i ymddangos yn ddidaro.

"O lle dwi'n dŵad, mae deud dy enw yn giw i'r person arall ddeud 'i enw ynta'n ôl," meddai. Roedd ei lygaid yn gwenu arni.

"Sgynnon ni ddim arferiad fel'na o le dwi'n hanu," meddai Joyce, gan feddwl ei bod yn gyfrwys. Ond roedd "Marc" gam ar y blaen iddi hi.

"O? A lle 'di hynny felly?" gofynnodd. Edrychodd Joyce o'i chwmpas am help a gweld Mags yn edrych arni, gan wincio.

"Dwi'm yn ..." Damia hwn am wneud iddi deimlo fel hogan ysgol bymtheg oed yn cael ei sgwrs fflyrtlyd gynta. Damia fo!

"Ond mae pawb yn dŵad o rwla ... lecio fo neu beidio ... a dwyt ti'm yn fwy o Wyddeles nag ydw i o Wyddel ..."

"Rhwbath arall ga i nôl i chi?" holodd Joyce, heb wybod beth arall i'w ddeud. "Mwy o goffi?"

"Pob dim siort ora … Jan!" meddai, a chyda gwên yn araf ledaenu ar draws ei wyneb, fe drodd ei sylw at ei fwyd.

Tŷ bychan, cul ar Moore Street oedd 'Cobblestones,' wedi'i guddio rhwng siop fetio ceffylau ar y naill law a siop flodau ar yr ochr arall. Roedd y farchnad stryd yn dirwyn i ben am y dydd, a bu'n rhaid i Mags a Joyce gamu dros focsys o deganau rhad a basgedi o ffrwythau er mwyn cyrraedd at y drws ffrynt.

Eisteddai hogan ifanc hirwallt mewn dillad amryliw y tu allan i'r drws, yn canu nodau bregus ar ffliwt a rhyw hen fwngral o gi tenau yno efo hi, yn pendwmpian yn haul y prynhawn, gan godi'i glustiau bob hyn a hyn pan ddeuai ci arall o fewn cyrraedd cyfarth. Ymddiheurodd Mags am y draffarth.

"Swn i'm yn meindio, ond mae'r cnafon yn dechra codi'u stondina am chwech o'r gloch y bora weithia yn yr ha, er mae o'n ddirgelwch i mi pwy ma'n nhw'n feddwl fydda isio prynu ganddyn nhw radeg hynny o'r bora. Ffrwytha da 'ma, cofia. A mae 'na rhyw hen foi bach yn gwerthu defnyddia ddigon o ryfeddod yma weithia … Ganddo fo ges i'r stwff i neud cyrtans y llofft. Tyd i fyny …"

Roedd Joyce yn falch nad oedd hi'n drymlwythog iawn wrth wynebu'r grisiau hir, cul oedd yn arwain i fyny i'r llawr cynta. Amneidiodd Mags at ddrws wrth droed y grisiau a sibrwd,

"Fanna mae Harri'n byw. Fydd yn rhaid i mi neud y cyflwyniada ffurfiol yn nes mlaen, ond gawn ni banad i ddechra, ia? Ma' nhraed i'n fy lladd i!"

Stafell efo'i ffenast yn edrych allan ar y stryd oedd yr un wag. Pan wthiodd Mags y drws yn agored iddi gyda'r ffanffer arferol, roedd Joyce wedi petruso cyn camu i fewn.

"Tyd yn dy flaen!" medda Mags. "Dy stafall di ydi hon rŵan, a gei di'r fraint o ngha'l i'n gneud panad i chdi heb ofyn am un yn ôl os bryshi di!"

Roedd y tenant arall yn amlwg wedi gadael ar frys, ac wedi gadael llawer o bethau ar ei hôl. Roedd yna bosteri artistig wedi'u gosod yn gelfydd o gam ar y waliau, ac ambell botyn o hufen wyneb yn dal i sefyll ar y bwrdd gwisgo. Hufen wyneb i berson di-wyneb, meddyliodd Joyce.

"Ti'n siŵr 'i fod o'n iawn, Mags ...?"

"Ddaw Helen ddim yn ei hôl i fan'ma ar frys, a hitha heb dalu pythefnos o rent i meinábs lawr grisia!" Yna wrth weld Joyce yn edrych yn boenus, dywedodd, "Pam 'sa chdi'n poeni am styrbio tacla rhywun ti rioed 'di gyfarfod, dwn i ddim! Ti 'di gadal mwy na hyn ar dy ôl, ma'n siŵr, do! Atgofion, pobol ... *petha* 'di rhein. Fydda nhw'n llenwi bin yn y stryd cyn nos! Tyd!"

"Ti'n iawn! Stwff!" A gwnaeth Joyce ymdrech ddewr i roi stamp 'Jan' ar y stafell. Bu'n ad-drefnu dodrefn ac yn sgwrio bob man am weddill y noson.

Tua wyth o'r gloch, piciodd Joyce ar draws y ffordd at giosg bach drewllyd ar y gornel rhwng Moore Street a Henry Street. Hon oedd yr alwad gynta adra. Roedd llais Ian i'w glywed yn ifanc yr ochr arall i'r lein, a rhoddodd Joyce y ffôn i lawr yn bwrpasol fel roedd wedi'i fwriadu. Bu'n rhaid iddi sadio'i hun ar ymyl gwydr y ciosg ar ôl gwneud, a gwylio taith y sgrwbiwr stryd yn chwilio a chwalu ei ffordd i lawr ati, gan llnau pob man yn lân, lân.

Pennod 17

Ian

Edrychodd Ian yn nrych bach y car cyn mynd i mewn i swyddfa'r heddlu. Roedd o wedi llwyddo rhywsut i'w lusgo'i hun i'r gawod ar ôl derbyn y neges ganddyn nhw, ac roedd godra'i wallt dal yn damp. Roedd yn gas gan Ian y cudynnau cyrliog erstalwm, gan y bydden nhw'n ffurfio tonnau gosgeiddig os na fyddai wedi taenu crib yn drwyadl drwy ei wallt ar ôl ei olchi. Erbyn hyn roedd y cwffas wedi mynd o'i wallt, a'r cyrls wedi dofi a phrinhau. Fyddai Ian byth yn cyfadda wrth neb ei fod yn eu colli.

Craffodd eto ar ei wyneb, a sylwi fod y gwythiennau bach edafog yn fwy niferus ar ei fochau y dyddiau hyn, ac yn reiat yn y cilfachau rhwng ei foch a'i drwyn. Roedd gwyn ei lygaid hefyd yn gochaidd a'r clustogau bach oddi tanynt yn destament i noson hwyr. Wynab lyshwr, medda fo'n uchel. Wynab rhywun sy'n hitio'r botal gydag arddeliad, gydag angerdd.

Roedd y ffôn wedi canu eto neithiwr. Am ddeg. Doedd o ddim wedi cael galwad ers tridiau neu fwy, a'r tro cynt roedd y ffôn wedi canu am wyth o'r gloch y bora. Neithiwr roedd y galwr wedi aros ychydig yn hwy na'r arfer cyn rhoi'r ffôn i lawr, wedi gadael i'r gwacter siffrwd rhyngddyn nhw ar y lein, yn ôl a blaen. Tybiai Ian iddo glywed rhywbeth yn y cefndir. Sŵn siarad. Sŵn car. Sŵn byw. Sŵn bywyd nad oedd ganddo ddim i'w wneud ag o ... Roedd clic y ffôn yn cael ei ddiffodd o'i hochor hi yn mynd drwyddo. Fel clic gwn yn erbyn ei glust. Clic.

Doedd 'na ddim rhif eto'r tro hwn, wrth gwrs. Doedd rhywun oedd yn rhedeg i ffwrdd ddim yn ddigon twp i adael olion ei symudiadau wedyn. Nac i ffonio'r un amser a gadael cliwiau ar ei hôl am drefn ei diwrnod. Rhyfadd.

Roedd y ddau wedi byw dan yr un cloc am flynyddoedd lawar, wedi dilyn yr un amserlen. Coffi gynta cyn mentro i lawr am frecwast (dau Weetabix a darn o dôst brown). Te ar y bwrdd am chwech. Panad, bisgedi a chaws am naw ar ôl i Edna fynd i glwydo. A rŵan doedd ganddo fo ddim obadeia ... mond 'i bod hi yn Iwerddon. Yn rhywle. Yn bwyta pryd mynna hi. Yn byw dan drefn wahanol. Yn dewis cysylltu pryd mynna hi.

Doedd 'na ddim rhif. Ond roedd yr alwad neithiwr wedi bod yn ddigon hir i roi digon o wybodaeth i BT fedru cael gafael ar yr union rif a'i basio mlaen i'r heddlu.

Doedd ganddo fo ddim blydi mynadd mynd i swyddfa'r heddlu heddiw, ond roedd eu neges wedi swnio'n bwysig bora 'ma, o'r hyn oedd o 'di medru 'i ddirnad drwy'r niwl hannar-meddw yna oedd yn glynu ato bob bora.

Gwyddai Ian erbyn hyn fod yr heddlu wedi bod mewn cysylltiad agos ag Interpol ers y darganfyddiad am y cardyn credyd a'r ymweliadau â'r twll-yn-y-wal, yn arbennig felly gyda'r Garda yn Werddon.

Interpol o ddiawl! Yn hytrach na theimlo fod y rhwyd yn cau am y pysgodyn, fel arall roedd Ian yn ei gweld hi. Roedd o wedi dechra breuddwydio am bwll mawr dwfn, a thywyllwch y dŵr yn ymestyn ymhell bell i'r dyfnderoedd. Doedd dim modd gweld yr un planhigyn yn nüwch y dŵr, heb sôn am bysgodyn, ac roedd Ian yn mynd ar ei linia wrth ymyl y pwll ac yn plymio'i fraich at 'i hanner i mewn i'r oerfel.

Roedd y plismyn yn amlwg yn poeni'n arw fod yr ymweliadau â'r twll-yn-y-wal wedi stopio gan fod 'na bres ar ôl yn y cyfrif o hyd. Roedd Rhian wedi bod yn llygad ei lle. Amau trais fyddai plismon bob gafael. Ond roedd y galwadau ffôn yn taflu rhyw lygedyn o obaith i Ian, er gwaetha'r ffaith fod y Sarjant wedi awgrymu mor gynnil ag y gallai nad oedd yna sicrwydd mai Joyce ei hun oedd yn gneud y galwadau.

"Synnach chi faint o bobol sâl sy allan yn fanna!" oedd ei eiriau, gyda blinder rhywun oedd wedi treulio hanner can mlynedd yn y ffôrs. Eglurodd fod pob apêl yn esgor ar alwadau ffug a chamarweiniol, neu weithia at alwadau maleisus oedd yn twyllo'r teulu fod y sawl oedd wedi mynd ar goll yn ceisio cysylltu.

"Am bob un sy'n drwgweithredu, mae 'na gant fydda'n hoffi cael y plwc i neud hynny."

Ond roedd Ian yn gwybod, yn teimlo, mai Joyce oedd yno – yn cynnal y llinyn am ennyd yn y distawrwydd, cyn symud yn ôl a gadael iddo lithro eto rhwng ei bysedd.

Roedd Rhian wedi postio pecyn yn cynnwys poster yr apêl. Wrth glywed clec y blwch postio'n cau, roedd Ian wedi rhuthro allan, ond roedd hi eisoes wedi mynd. O agor yr amlen, gwenodd wyneb Joyce yn ôl ato, a'r geiriau wedi eu sgrifennu yn yr Wyddeleg erbyn hyn hefyd, chwara teg i Rhian. Sawl peint yn y Blue Boy oedd hi wedi gorfod talu amdanyn nhw i ga'l y Golygydd cynnil i ariannu'r cyfieithiad, tybed, meddyliodd Ian. Gobeithio nad oedd hi wedi gorfod twrio'n ddyfnach am y ffafr ... Chwiliodd Ian yn yr amlen am bwt o lythyr neu rywbeth fyddai'n esbonio'i brys, ond doedd 'na ddim byd. Stori fawr ar fin torri mae'n rhaid. Pennawd yn disgwyl cael ei greu.

Roedd y Sarjant yn disgwyl amdano yn y dderbynfa, a phlismones fach arall nad oedd Ian wedi'i gweld o'r blaen efo fo. Roedd y ddau yn hynod o gwrtais, yn annwyl fydda Ian wedi'i ddeud petai o mewn sefyllfa wahanol. Arweiniodd y Sarjant y ffordd i'r un stafell fach y bu Ian ynddi o'r blaen, y diwrnod y daeth i nôl Edna dyrbanog oddi yno. Y diwrnod y diflannodd Joyce. Teimlai'r diwrnod hwnnw lawer pellach yn ôl na deufis erbyn hyn.

"Gymrwch chi goffi cyn i ni ddechra, Ian?"

Gorchymyn oedd o, nid cwestiwn, ond roedd Ian yn ddigon parod i gydsynio. Roedd ei geg yn dal yn sych ers neithiwr, a byddai wedi yfed galwyn o goffi a dŵr erbyn hyn tasa fo adra. Ond doedd o ddim yn licio'r arlliw a'r awgrym yn y "cyn dechrau". Gobeithio nad oedd hon yn mynd i fod yn sesiwn hir o drafod a chwestiynu, o fynd yn ôl a blaen dros yr un wybodaeth. Agorodd y Sarjant y drws led y pen a gweiddi "Elen! Tri choffi yn nymbar tŵ, plîs."

Daeth yn ei ôl i eistedd gyferbyn ag Ian, gan dynnu'r gadair o'r tu ôl i'r ddesg rhag ofn fod honno yn y ffordd rhyngddyn nhw. Fe fyddai Malc yn gneud hyn, cofiodd Ian, pan oedd o isio cael sgwrs anffurfiol efo rhywun, neu isio torri newyddion drwg – fel y tro hwnnw y bu'n rhaid iddo ddweud wrth yr hogyn YTS ifanc 'na fod ei dad wedi marw. Rhywbeth oedd o 'di ddysgu ar gwrs oedd o, debyg iawn.

"Ydyn nhw 'di ca'l gafa'l yn y rhif? Ffonish i neithiwr ar ôl iddi hi ffonio acw. Coblyn o alwad hir 'fyd – tua naw, deg eiliad ma' siŵr ... Oedd hynny'n ddigon, dach chi'n meddwl?"

Sylwodd Ian ar y ddau blismon yn edrych ar ei gilydd, yn edrych ar ei gilydd am lai nag eiliad. Ond roedd hynny'n ddigon.

" Siŵr gin i y byddan nhw mewn cysylltiad ..."

"Wela i ..."

Ond doedd Ian ddim yn gweld. Ddim yn gweld pam roeddan nhw wedi'i dynnu o'i gartra mor fuan yn y bora er mwyn cael deud dim byd wrtho.

"'Dan ninna wedi ca'l galwad hefyd, Ian ... Dyna pam 'dan ni wedi gofyn i chi ddŵad draw ..."

"Galwad gin Joyce?"

Roedd o'n gwbod mai hi oedd 'na! Yn gwbod y bydda hi'n trio'i gora i ada'l iddo fo wbod rhywsut ei bod hi'n dal yn fyw!

"Lle ma' hi?"

"Naci, Ian ... Ddim Joyce ffoniodd ni ..."

Chwilio, chwalu yn y pwll tywyll, chwilio a'r dŵr yn fferru'i waed o wrth iddo symud, y tyfiant gwyrdd yn glynu fel gelen ...

"'Dan ni 'di ca'l gwybodaeth, Ian ... Mae'r apêl 'di tynnu sylw ..."

Y ddynes oedd yn siarad rŵan, ac roedd hi wedi rhoi ei llaw i orwedd ar ei law ynta, fel tasan nhw'n hen ffrindiau.

"Gwybodaeth? Pa wybodaeth 'lly?"

Roedd o'n ateb fel robot, a thôn ei lais yn wastad.

"Ia ... Am lle y byddan ni'n dŵad o hyd i esgyrn ... Ma'r tîm fforensig ar ei ffordd yno rŵan ..."

Roedd Ian yn ymwybodol o gnoc ar y drws, a'r drws yn hanner agor cyn cau yn ôl drachefn. Daeth sŵn llestri'n crynu ar hambwrdd o'r tu ôl iddo.

"Esgyrn ... Joyce?" Dau air doedd o rioed wedi'u rhoi efo'i gilydd o'r blaen. Esgyrn Joyce ... Llygaid Joyce, gwallt Joyce, bronna Joyce, ond nid esgyrn Joyce.

"Esgyrn plentyn, Ian. Ma'r galwr yn honni mai esgyrn eich merch ydyn nhw ..."

Ni symudodd llaw y blismones oddi arno, ddim hyd yn oed ac ynta'n gwasgu'i law yn ddwrn tyn tyn, a'r migyrna'n tyfu fel cyllyll.

Pennod 18

Joyce

Doedd hi ddim wedi cyfadda wrth Mags ei bod wedi gweld ei golli. Bob tro y byddai Joyce yn codi'r bleinds ar banel gwydr y drws i'r caffi, a throi'r arwydd i gyhoeddi fod y caffi ar agor i'r byd, fe fyddai'n edrych allan i'r stryd, gan obeithio gweld ffurf tal Marc yn shyfflan i lawr y ffordd, ei ddwylo'n ddwfn yn ei boced.

Roedd Joyce wedi prynu mefus bora 'ma gan y ddwy wraig ganol oed oedd yn sefyll ar groesffordd St Mary's Sreet a Chapel Sreet. Roedd hi wedi'u pasio droeon ar y ffordd o'r fflat i'r caffi, ac wedi rhyfeddu pob tro. Nid stondin gwerthu ffrwytha arferol oedd gan y ddwy ond dau bram babi henffasiwn, a'r mefus wedi'u pentyrru y tu mewn; babis bach bochgoch oedd yn gneud 'run smic. Roedd y cyfan yn abswrd, yn afreal, ond roedd trigolion Dulyn fel petaent wedi derbyn yr abswrdiaeth fel rhywbeth cyffredin. Gallai'r petha rhyfedda fod yn normal gydag arfer. Un bora, roedd Joyce wedi gweld un o'r merched yn siglo'r pram yn ôl a blaen wrth siarad efo'r llall, fel tasa ganddi fabi bach go iawn y tu mewn iddo.

"Mefus gora Werddon 'di'r rhein, lyfli ..." medda'r hyna o'r ddwy wrth gymryd ei phres. "Blasa di rhein a tyd yn ôl fory i ddeud wrtha i sut oeddan nhw – ti'n clywad rŵan?"

"Blas gwell fyth arnyn nhw i bobol sy mewn cariad ..." medda'r fenga o'r ddwy, ac er eu bod wedi chwerthin dros y stryd, gallai Joyce deimlo llygaid y ddwy yn sbio'n graff arni.

Blas ifanc, nwyfus oedd ar y mefus pan gafodd Joyce gyfla i eistedd ar y stepan yn iard gefn y caffi yn ei hamser cinio ganol pnawn; blas ffrwyth yn mentro'i ddonia ar y byd ac yn gwbod ei fod o'n mynd i blesio.

Fu Mags ddim yn hir cyn sylwi ei bod ar binnau, chwaith.

"Y Marc 'na'n ddiarth iawn dyddia yma ... Roist ti ormod o siwgwr yn 'i de fo?"

"Pa Marc?"

"Ia, ia … Ti'm yn 'y nhwyllo i, sdi … Ti'n meddwl mod i'm yn gweld? Ma' dy lygad di ar y drws 'na drw'r dydd!"

Rhyfedd fel y gallech chi newid popeth amdanoch eich hun yn allanol, ond fod yr hanfod yn aros 'run fath. Yr un ffordd y byddai Joyce a Jan yn yfed coffi, yn sugno bys ar ôl tynnu gwaed, yn ymateb i ddyn oedd yn gyrru teimladau drwy'r corff, gan gyflymu calonnau. Mor hawdd oedd plicio'r haenen allanol i ffwrdd er mwyn cael dangos person arall y tu mewn.

Y breuddwydion oedd yn ei chynhyrfu fwya. Byddai'n deffro'n aml yn y stafell wely fach gul efo'r posteri cam, a chael ei hun yn chwysu gan dynerwch y gusan ar ei gwddf, gan ing y pryfocio blasus rhwng ei choesau. Gallai ddychmygu rhedeg ei bysedd ar hyd a lled ei gefn, teimlo'i gyhyrau'n donnau o dan ei chyffyrddiad, plannu'i bysedd yn ei sgwyddau …

Meddwl am hynny roedd Joyce wrth ddod yn ôl i mewn i'r caffi ar ôl bwyta'r mefus, gan sychu dafn o gochni o ochr ei cheg efo'i bys. Roedd y gwynt yn dal yn fain, ond roedd yr iard fach yn y cefn yn ddigon cysgodol iddi fedru teimlo gwres yr haul yn gryf ar ei hwyneb wrth iddi ddal ei phen i fyny ato. Cymerodd rai eiliadau iddi fedru cynefino'n iawn â thywyllwch cymharol y caffi.

Roedd Joyce ar fin mynd i redeg crib drwy'i gwallt a gwisgo'i ffedog yn barod am y cwsmer nesa, pan welodd fod Marc wedi mynd i eistedd wrth ei fwrdd arferol ac yn edrych arni hi, efo'r hanner gwên fach bryfoclyd yna'n codi cornel ei geg.

"Fydda i efo chi rŵan," medda Joyce, gan wneud ei gorau i reoli'i llais rhag iddi swnio'n rhy nerfus.

"Byddi, dwi'n gwbod …" medda fo, a gallai Joyce deimlo'i lygaid yn ei dilyn wrth iddi fynd draw i'r stafell molchi i drio rhoi trefn arni hi ei hun, gan roi rheswm unwaith eto iddi symud fel roedd hi'n arfer symud …

Pennod 19

Ian

"Blwch ffôn! Ma'n nhw'n medru deud hynny ..."

"Ydyn . . ."

Daeth Rhian i eistedd gyferbyn â fo, a rhoi'r coffi o'i flaen. Roedd y bwrdd yn simsanu efo symudiad tonnau'r môr. Syllodd Ian ar y cwpan plastig a'r hylif brown, heb godi'i lygaid. Os oedd o angen rhywbeth mwy na blydi coffi rioed ...

"Ac yn medru deud yn union pa flwch ffôn ym mha stryd ... Medru deud yn union lle gwnaed yr alwad ..."

Atebodd Ian mo Rhian. Roedd hi'n siarad digon dros y ddau ohonyn nhw, yn trio llenwi'r gagendor yma nad oedd modd ei lenwi, yn trio gweld y golau lle nad oedd dim byd ond düwch ...

Coedlan fechan oedd hi, lle buon nhw'n tyrchu. Coedlan fechan ar fryn, a wal wedi'i hamgylchynu fel caer. Fel bedd. Roedd o wedi gorfod mynd yno, er fod yr heddlu wedi argymell iddo beidio. Ond roedd yn rhaid iddo gael mynd. Chododd o ddim allan o'r car, chwaith. Dim ond gwylio'r ffigurau du a gwyn o bell, yn symud ac yn gwyro. Doedd neb yn ca'l mynd yn agos, ac roedd y ffarmwr hyd yn oed wedi gorfod symud ei braidd o'r cae lle roedd y goedlan, i gae arall o'r ffordd. Roedd tâp du a gwyn yr heddlu yn ddigon o rybudd sa-draw i bawb.

Roedd Rhian wedi cael mynd cyn belled â'r giât a dim pellach, fel pawb arall. Sylwodd Ian ei bod i weld yn ddigon blin o weld ffotograffydd o un o'r papurau mawrion yn neidio dros y giât a rhedeg am y goedlan. Ond cael ei hysio'n ôl gan blismon wnaeth hwnnw, a chafodd pawb rybudd diflewyn-ar-dafod y byddai'r nesa i drio tric fel'na'n cael ei arestio'n syth.

Gadawodd Rhian unwaith y gwelodd y camerâu

teledu'n cyrraedd, ond nid heb alw heibio iddo fo yn y car, a siarad drwy'r ffenast efo fo, gan ddweud y bydda hi'n galw draw i'w weld yn nes ymlaen ar ôl iddi fynd â'r rôl ffilm i mewn i'r swyddfa.

"Paid â siarad efo neb, ti'n dalld, Ian? Neb o'r papura er'ill 'ma ... ecscliwsif ma'n nhw isio, dim arall ..."

Apêl Rhian oedd yn gyfrifol am y cyfan, chwara teg. Wedi nabod llun Joyce o'r straeon papura newydd oedd yn blastar ar hyd bob man ddeng mlynedd yn ôl oedd y diawl. Rhywbeth wedi naddu twll yn ei gydwybod, fel ei fod o'n teimlo trueni drostyn nhw; dros Joyce yn trio dengid rhagddi hi ei hun, a drosto yntau, Ian, a phawb 'di'i ada'l o. Neu fod y basdad isio hawlio chydig fodfeddi mewn colofn papur newydd eto, isio tipyn bach o sylw i'r stori oedd o, wedi'r cyfan, wedi'i chreu.

Roedd y camerâu teledu wedi bod fel haid o fleiddiaid wrth y drws, wrth gwrs, a'r ffôn yn canu'n ddi-baid drwy'r dydd heddiw a ddoe. I ddechra roedd Ian wedi rhoi'r peiriant ateb ymlaen, ond roedd cof hwnnw ar gyfer cadw'r negeseuon yn llawn o fewn awr.

Bob hyn a hyn, fe fyddai Rhian yn cael ei gyrru i ateb y ffôn, i roi taw ar y sŵn yn fwy na dim, meddai wrth Ian.

"Dydy Mr Ian Parry ddim isio siarad efo neb ond y *Journal* ..." Dyna fydda hi'n ddeud, yr un fath bob tro, a rhoi'r ffôn i lawr cyn i'r galwr yr ochr arall ddechra bytheirio. Roedd yn bwysig iddi ateb ambell un, meddai, rhag ofn mai Joyce oedd yn trïo cysylltu eto, rhag ofn fod y stori wedi cael ei chario ar deledu Werddon ...

Fe fentrodd Rhian at y ddrws ffrynt ambell waith hefyd, i ddweud ei neges. Ond chafodd y neges honno fawr o groeso gan y gohebwyr eraill ar stepan y drws, chwaith. Ddywedodd Rhian 'run gair am hynny, rhag ei boeni, ond gallai Ian glywed eu rhegfeydd. Pan ddeuai Rhian yn ôl o'r ymweliadau rheiny, fe fyddai ei hwyneb wedi gwrido a'i llygaid yn llaith.

Roedd Rhian wedi bod yn sensitif iawn efo fo, chwara teg iddi, yn ddigon call i beidio gofyn y cwestiynau brwnt amlwg ynglŷn â sut oedd o'n teimlo. Cwestiwn hawdd, falla, ond cwestiwn y byddai Ian yn ei chael hi'n amhosib i'w hateb ar y funud ... Roedd hi'n ei nabod o'n ddigon da bellach i wbod yn iawn sut oedd o'n teimlo. Neu i wbod nad oedd ganddo fo'r geiria i fynegi sut oedd o'n teimlo.

Gwyddai'n unig y byddai'n rhoi'r byd am gael gorwedd ei ben ar ei mynwes hi ar yr eiliad honno, a theimlo'i hanadl ar ei groen wrth i'r llong eu siglo 'nôl a blaen, 'nôl a blaen ... tynerwch croen ar groen oedd o'n golli, ei golli nes ei fod o'n brifo. Teimlo cynhesrwydd rhywun arall. Joyce ...

Edrychodd allan ar y môr mawr, a meddwl sut beth fyddai gorwedd 'nôl a chael ei feddiannu gan y dŵr, i ddiflannu i mewn i'r gwyrddni yna fel nad oedd yn rhaid iddo fo fyth eto obeithio am 'run haul ar unrhyw fryn ...

"Faint o amsar ..." meddai hi o'r diwedd, "tan fyddan nhw'n gwbod ...?"

"Wn 'im ... Oria ... Dyddia ... Misoedd ..."

Doedd amser ddim i weld yn golygu dim byd, mwya sydyn. Deufis fel dau ddiwrnod. Deng mlynedd fel deng munud. Doedd dim byd yn gneud synnwyr.

Roedd hi'n amhosib iddo beidio meddwl am wynder yr olygfa: esgyrn gwyn, gwyn ar fwrdd marmor, diniweidrwydd yn dod allan o bydew, llonyddwch dilychwin yn lle ffieidd-dra nad oedd o'n gallu dechra'i ddychmygu.

"A sgynnyn nhw'm syniad pwy ..."

"Nago's ..."

Doedd o'n gwybod dim. Yn deall dim.

Doedd y sawl a ffoniodd ddim wedi aros digon ar y lein i roi cyfle i'r heddlu ddal i fyny efo fo. Ar ôl deud ei neges mewn llais oedd wedi'i lurgunio gan hances dros ei geg, meddai'r heddlu, roedd o wedi mynd. Wedi llithro i'r llonyddwch mawr yn ôl ar ôl gneud y gymwynas ola, wedi medru lleddfu ei dipyn gydwybod, neu wedi procio mwy ar ei dân.

"Rhaid i mi 'i gweld hi!" Dyna oedd Ian wedi'i ddeud.

Ac roedd yr wybodaeth am lle'n union roedd Joyce wedi bod yn trio cysylltu efo fo wedi dŵad fel rhyw oleuni mawr, fel arwydd. Dim ond Joyce fyddai'n deall. Dim ond Joyce. Dim. Ond. Joyce.

Fe wyddai Ian o edrych ar y tynerwch yn llygaid Rhian y bydda hi'n dŵad efo fo. Dewisodd gredu mai oherwydd fod ganddi feddwl uchel ohono fo oedd hynny, nid am ei bod hi isio sgŵp.

Siglai'r fferi'n feddw o un ochr i'r llall ar y tonnau, gan daflu'i theithwyr fel pypedau y tu mewn i'w chrombil. Caeodd Ian ei lygaid.

Pennod 20

Joyce

"Ddoi di efo fi ...?" Dyna oedd Marc wedi'i ofyn iddi. "Mynd am dro, pryd o fwyd, be ti'n ddeud? Ti isio dêt?"

Dêt! Roedd y swigan fach afreolus wedi bod yn dawnsio yng ngwaelod ei bol ers iddo ofyn ddoe. Roedd hi wedi deud y gair eto ac eto wrthi'i hun, gan drio cymryd meddiant ohono, trio perswadio'i hun mai gair ar ei chyfer hi oedd o. Dêt!

Roedd y dydd yn 'mestyn, doedd dim dwywaith am hynny. Pan ddechreuodd Joyce weithio yn y caffi i ddechra, roedd hi'n cerddad adra dan olau lampau'r stryd, a'r golau o ffenestri'r siopau fel ffaglau, yn goleuo'i ffordd. Erbyn hyn, roedd pobman yn wahanol a llawer o'r gweithwyr swyddfeydd a siopa'n loetran yn y parciau, neu'n ymlacio ar y byrddau oedd wedi tyfu fel caws llyffant tu allan i'r caffis ers i frathiad y gaeaf addfwyno.

Roedd hi wedi bod wrthi am awr neu fwy yn y fflat neithiwr yn trio dilladau gwahanol ymlaen, a Mags fel beirniad ar y cyfan, yn gorwedd ar ei gwely ac yn crychu'i thrwyn neu'n nodio'i phen, yn ôl y wisg oedd Joyce yn ei dangos ar y pryd. Roedd yr olygfa'n atgoffa Joyce o un o'r golygfeydd rheiny yn un o ffilmiau Hollywood, rhyw gomedi ramantus oedd yn cydio yn y cynnwrf o fod yn ddynes atyniadol mewn byd oedd yn disgwyl amdani.

O'r diwedd, fe benderfynodd Joyce a Mags y byddai rhyw ffrog biws, oedd yn diweddu ychydig uwch na'i phen-glin, yn gneud y tro'n iawn. Roedd hi'n chwaethus, ond yn ddigon beiddgar i gosi diddordeb, medda Mags. Ar lefel ymarferol, fe'i gwnaed o ddeunydd na fyddai'n crychu, gan y byddai'n rhaid i Joyce ei chadw mewn bag plastig yng nghefn y gegin fach boeth drwy'r dydd nes fod Marc yn galw amdani.

Fe ddaeth yr amser yn gynt na'r disgwyl am fod y caffi'n brysur iawn y diwrnod hwnnw. Roedd o bum munud yn gynnar, ac wedi eillio'n ofalus cyn dod. Gallai Joyce synhwyro'r eli-wedi-eillio wrth iddo blygu lawr ati a rhoi cusan fach sych ar ei boch. Doedd o rioed wedi'i chusanu o'r blaen. Sylwodd fod ei groen yn dal yn arw, er gwaetha'r ymgais efo'r rasal.

Chwibanodd yn ysgafn, gan gamu'n ôl i edrych yn iawn arni. "Ti'n edrych yn ffantastig ..." meddai, a'i lygaid yn gwibio heb reolaeth i lawr ei chorff, ac yna'n ôl, yn anwesu'i siâp efo'i edrychiad ...

Daeth Mags at y drws a phwyso'i chlun ar y ffrâm. "Edrycha di ar 'i hôl hi!" meddai wrth Marc, a'i llygaid yn culhau am ennyd. Ac yna ychwanegodd yn ysgafnach: "A peidiwch â gneud sôn amdanoch chi'ch hunain hyd y lle 'ma, y cnafon!"

"Gawn ni weld, ia, Jan?" atebodd Marc yn yr un ysbryd.

Roedd St Stephen's Green yn llawn o bobol o bob lliw a llun, ac yn sydyn teimlai Joyce braidd yn hunanymwybodol yn ei ffrog gwta. Pobol ifanc oedd y rhan fwya ohonyn nhw, mewn jîns a chrysa-T oedd ond yn dod lawr at hanner eu boliau, yn hardd yn eu hanffurfioldeb ifanc. Falla byddai'n well tasa hi wedi gwisgo rhywbeth oedd yn fwy gweddus i rywun ar drothwy ei deugain oed, beth bynnag oedd hynny ... Neu wedi trio bod yn ddi-daro drwy wisgo rhywbeth nad oedd yn edrych fel tasa fo wedi cael ei ddewis ar ôl oria mawr o drafod efo ffrind. Damia!

"Lle ti isio mynd?" gofynnodd Marc, a'i lygaid yn dawnsio.

"Wn 'im ... Deud ti ..."

"St Stephen's Green yn lle da i fynd ar goll ..." meddai yntau.

"Mi sticiwn ni efo'n gilydd, felly," medda Joyce, a synnodd pa mor hyderus y swniai, pa mor rhwydd roedd hi'n gallu ffendio'r geiria iawn.

Ac fe gerddodd y ddau ohonyn nhw at lecyn go gysgodol lle nad oedd yna gymaint o bobl yn mynnu gwres yr haul diwedd pnawn. Safasant wrth droed cerflun efydd o ddyn enwog. Darllenodd Joyce:

"Thomas M. Kettle – 1880–1916, killed at Givenchy 1916, poet, essayist, patriot."

Ar slaban o lechan oddi tanodd yr ysgrifennwyd geiriau oedd yn cyffwrdd Joyce yn arw am ryw reswm.

> "Died not for flag nor king nor emperor,
> but for a dream born in a herdsman's shed
> and for the secret scripture of the poor."

Marw er teyrngarwch i'w wreiddiau wnaeth hwn, meddyliodd Joyce. Rhoi ei fywyd dros y dyn bach. "Dyna'r unig achos i farw drosto fo ..." meddai hi wrth edrych i lawr.

Roedd Marc wedi bod yn edrych o'i gwmpas, a doedd o ddim wedi darllen y deyrnged fel roedd hi wedi'i neud.

"Be ...?"

"Y dyn cyffredin. Dros hwnnw ddylia pawb golli gwaed ..."

"'Nes i'm sylweddoli dy fod ti'n gymaint o sosialydd!"

"Na finna ..."

"Dyma sy 'di dy yrru di draw yma? Cwffio dros achos y dyn cyffredin?"

"Cwffio dros achos y *ddynas* gyffredin, ella ..." medda Joyce. A theimlodd yn arwrol iawn fwya sydyn, fel petai dianc oddi wrth ei theulu'n rhoi llais i'r miloedd o ferched dros y byd oedd yn gaeth i betha gwahanol.

Roedd o'n gwenu arni eto.

"A pham wyt ti yma, tybed?" meddai Joyce, a diflannodd ei wên am funud.

"Achos y boi anghyffredin sgin i ..." meddai. "Y boi anghyffredin sy isio bod yn neb, yli!"

Ac ymhen eiliad roedd o'n gafael yn ei llaw ac yn ei harwain ymlaen ar hyd llwybrau'r parc.

Pennod 21

Ian

Eisteddodd Ian a Rhian ar fainc gyfagos; agorodd Rhian y map a'i osod fel planced dros ei phengliniau, gan ddwyn Edna'n ôl i gof Ian am ryw eiliad sydyn. Sawl gwaith oedd o wedi gweld Joyce yn plygu dros yr hen wreigan yn y gadair freichiau, yn mynd drwy'r stumia o roi'r flanced yn garuaidd dros y coesau esgyrniog, ond fod ei hwyneb yn hollol oer wrth wneud.

"Fan'ma 'dan ni, 'de ... newydd ddŵad lawr ... hon!"

Gallai Ian glywed llais Rhian ond doedd o ddim yn cymryd llawer o sylw.

"Sbia, Ian ..."

Gwnaeth ymdrech i graffu ar y llecyn ar y map lle roedd bys Rhian, ond doedd ganddo fawr o ddiddordeb.

"O ... ia ... cofio 'ŵan ..."

Roedd ochenaid Rhian yn ddigon uchel i fynegi'i rhwystredigaeth. Roedd hi wedi'i rybuddio cyn mentro nad oedd ei sgilia darllen map ymhlith y rhai gorau yn y byd, ond roedd Ian wedi'i sicrhau y byddai o'n nabod y ffordd yn iawn. Ond rŵan eu bod nhw yma, yn y ddinas roedd ei Joyce o wedi dewis dianc iddi, doedd o ddim yn gallu meddwl am ddim. Fel petai ei feddwl wedi fferru, rhywsut. Wedi'i gloi mewn labordy fforensig.

"Be oedd enw'r bont 'na eto ...?"

Ar eu ffordd at y bont roedd y ddau wedi gweld siâp traed mewn efydd wedi'u plannu yn y slabiau concrit; rhai mawr a rhai bach, rhai'n troi ffordd yna ac er'ill yn troi ffordd acw ... Roedd Ian wedi syllu'n hir arnyn nhw, ac roedd rhyw deimlad rhyfedd yn ei wddw.

Fe fyddai Ian yn rhoi'r byd am gael diflannu i mewn i sancteiddrwydd tywyll un o'r tafarndai 'ma a chael ymdoddi i mewn i deimlad y lle. Roedd pob dim yn well o'i weld drwy waelod gwydraid o Guinness, debyg. Pob profiad wedi'i lareiddio rhyw gymaint, pob dim yn garedicach o beidio â bod mor uffernol o glir. A fyddai neb yn ei nabod o'n fan'ma fyddan nhw? Dim llaw ar ysgwydd yn cydymdeimlo, dim sbio i ffwrdd a sibrwd dan eu gwynt … Ond fe fyddai'r botal chwart Jack Daniels yn gneud siort ora am y tro. Cymerodd ddracht ddofn ohono, a pheidio edrych ar Rhian ar ôl gneud.

Oedd Joyce wedi eistedd ar y fainc 'ma? Oedd hi wedi aros yma i chwilio'r ffordd, 'ta oedd hi'n gwbod i'r dim i ble oedd hi'n mynd? Oedd hi'n cael ei chynhesu gan yr haul oedd yn cynhesu'i wyneb o rŵan? A siawns y byddai hithau'n gwlychu at ei chroen gan yr un glaw, yn cael ei hoeri gan finiogrwydd yr un gwynt … Ond doedd ei meddwl hi ddim lle roedd ei feddwl o, mewn labordy 'nôl yng Nghymru. Be ddywedai tasa hi'n gwbod? Tasa hi'n gweld fod cyfle i roi pen ar y mwdwl? I wybod y gwir o'r diwedd am Mali …

"O'Connell … O'Connell Bridge, 'ma fo'n fan'ma, yli, Ian. Honna oedd hi … 'Dan ni'm yn bell rŵan, ddim yn bell o gwbwl …"

Ac eto, ar y funud honno, teimlai Ian eu bod cyn belled ag y buon nhw rioed. Cododd yn llafurus oddi ar y fainc a'i dilyn.

Pennod 22

Joyce

"'Di o'n bell iawn eto?"

Tasa Joyce yn gwybod eu bod nhw am gerdded mor bell, mi fyddai wedi gwisgo sgidiau callach am ei thraed. Doedd hi erioed wedi arfer efo sgidiau sodlau uchel, fel Joyce nac fel Jan, ond roedd ei sgidia fflat arferol yn edrych yn od efo'r ffrog biws gwta.

Wrth lwc roedd Helen, pwy bynnag oedd hi, wedi gadael ar ormod o frys i gofio am y cyfan o'i heiddo. Roedd Joyce wedi dod o hyd i'r sgidiau wedi'u taflu'n ddiseremoni o dan y gwely. O graffu arnyn nhw a chwythu'r llwch i ffwrdd, fe welodd eu bod yr union 'run faint â'i thraed hi, a'u bod yn gweddu'n berffaith efo'r ffrog. A chan eu bod wedi'u gwneud o ledar reit gry, doedd ôl troed Helen ddim arnynt o gwbwl. Fyddai Joyce ddim wedi gallu wynebu gwisgo sgidiau rhywun arall pe bai'r esgid wedi cael ei mowldio i siâp troed ddiarth.

Er bod y sodlau'n uwch nag arfer, roedd Mags wedi'i pherswadio y bydden nhw'n berffaith ar gyfer ei chario i'r bwyty i gael y pryd bach neis. Ond roeddan nhw wedi bod yn cerdded am hanner awr solat ar hyd llwybrau St Stephen's Green ac wedyn i lawr heibio'r Liffey, a thrwy'r labyrinth o strydoedd bach drwy'r ddinas.

Roedd Jan yn gorfod canolbwyntio cryn dipyn ar y sgwrs gan fod Marc yn ei holi amdani ei hun, ac am beth ddaeth â hi draw i'r Ynys Werdd o Gymru. Roedd hi'n ofalus i ddechrau, yn cadw'r ffeithiau'n agos at ei chalon. Ar ôl deufis o fyw yma, roedd creu stori wedi dechrau dod yn ail natur iddi, ac roedd yna elfen o bleser yn y dweud. Soniodd am y tri mab wedi tyfu i fyny ac wedi symud o gartra, a bod ei gŵr a hithau wedi pellhau oddi wrth ei gilydd. Soniodd hi ddim gair am ei mam, wrth gwrs. Nac am Mali. Ond hyd yn oed wrth briodoli enw newydd i'w gŵr a'i alw'n Phil, allai hi ddim llai na theimlo'n euog ei bod yn priodoli elfennau mor gas i'w gŵr go iawn.

Doedd 'run arwydd eto fod y bwyty o fewn golwg.

"'Dan ni'n bell iawn rŵan?"

Bwyty Thai oedd o, meddai Marc, ac o'r ffordd roedd o'n brolio'r lle, cafodd Joyce y teimlad eglur ei fod o wedi bod yno droeon o'r blaen. Roedd yn rhyfedd, felly, pan safodd Marc yn stond mwya sydyn, sefyll a syllu ar arwydd enw'r stryd oedd yn uchel ar adeilad mawr Sioraidd a welodd ddyddiau gwell.

"Dwi'm yn credu hyn!" meddai, ac wrth ddeud y geiria, fedra fo ddim atal y wên fach rywiol yna rhag bygwth yng nghornel ei geg.

"Be? Marc, be?"

Roedd hithau'n gwenu rŵan hefyd, ac fe deimlodd rhyw gynnwrf cynnes yn saethu drwyddi.

"Arferiad ma' raid ..."

"Be sy'n arferiad ...? Marc! Dwed wrtha i!"

"Dwi 'di dŵad â chdi adra, do?"

"Adra?"

"Fan'ma dwi'n byw, yli. Yn un o'r fflatia 'ma. Dwi 'di mynd â chdi ffor' hollol rong i'r Thai Palace!"

Edrychodd Joyce i fyny ar y ffenestri hirion, boneddigaidd. Yn un o'r ffenestri, roedd cyrtan wedi'i rhwygo oddi ar y polyn – hongiai â'i hedafedd rhydd i'w weld yn glir, yn siffrwd yn y gwynt o'r hollt yn y ffenast.

"Sori, Jan. Yli ..."

"Ond erbyn faint o'r gloch archebist ti'r bwrdd?"

"Faint o'r gloch 'di hi rŵan?" meddai, a meddyliodd Joyce ei fod yn od nad oedd ganddo oriawr o gwbwl. Ond falla 'i fod o'n un o'r bobol rheiny oedd yn gwrthod cael eu clymu gan glociau, yn gwrthod bod yn gaeth i amser.

"Hannar awr wedi saith ..."

"Nacdi!"

Rhedodd Marc ei fysedd drwy'i wallt, ac edrych o'i gwmpas yn ddiamynedd. "Nacdi! Rioed!"

"Ond ..." Doedd Joyce ddim yn deall. "Mae hynny'n iawn, tydi? Erbyn pryd archebist ti'r bwrdd?"

"Hanner awr 'di chwech! Awr yn ôl!"

"Falla os awn ni yno y bydd 'na le …"

"Na … Ddudodd y dyn yn y lle Thai fod yn rhaid i ni orffan bwyta erbyn wyth. Pobol er'ill isio'r bwrdd, medda fo."

"Wel, dydy hi ddim yn rhy hwyr gin i fwyta yn rhywla arall … Cyn belled nad ydy o'n rhy bell! Mae 'nhraed i'n fy lladd i!" Ceisiodd Joyce ei gorau i beidio gadael i'r siom lygru ei llais, ond ni allai ei dwyllo.

Ar hynny, diflannodd yr olwg bryderus oddi ar wyneb Marc, a chymerodd gam yn nes ati. Gafaelodd yn ei dwylo'n dynn, dynn a'u tynnu i fyny o dan ei ên. Gwyrodd ei ben a rhoi cusan ysgafn ar bob un, gan sibrwd "Sori" rhwng pob cusan. Roedd yn ymddiheuro mewn ffordd nad ymddiheurodd neb iddi rioed o'r blaen.

Yna, gan ddal gafael yn ei dwylo o hyd, cododd ei ben ac edrych i fyw ei llygaid. Roedd ei lygaid yn pefrio.

"Ga i neud yn iawn am hyn efo *omelette*?" medda fo, gan esgus edrych yn ddifrifol.

"Be ddudist ti?" meddai Joyce dan chwerthin.

"*Omelette* ora Marc, a cha'l tynnu'r sgaffaldia 'na oddi ar dy draed am awr … Sbia arnyn nhw!"

Roedd cefn ei throed wedi rhwbio yn erbyn y lledar caled, wedi rhwbio cymaint nes bod y cnawd yn binc, yn gignoeth. Roedd y lledar wedi'i lifo'n goch gan ddafn o waed ei sawdl. Diolch byth na fyddai rhywun go iawn yn disgwyl cael ei sgidiau benthyg yn ôl heb nam, meddyliodd.

"Wel … dwn 'im …" Roedd pethau'n carlamu ymlaen yn rhy sydyn o lawer iddi, ac eto roedd y syniad o gael pryd bach syml a chael socian ei thraed mewn powlenaid o ddŵr cynnes yn hynod o atyniadol fwya sydyn …

"Does 'na nunlla arall? Sdim rhaid iddo fod yn fwyd Thai …" meddai, mewn ymdrech go wantan i beidio ag ildio'n rhy hawdd.

"Bwrdd arall? Adag yma ar nos Wenar yn Nulyn?" Roedd yn ysgwyd ei ben, yn edrych reit siomedig. "Fedra i ddalld os ti'm isio … Pwy fasa isio dim byd mwy i neud efo ploncar fatha fi sy'n mynd ar goll tu allan i'w fflat 'i hun!"

"Marc, ddim dyna …"

"Dwi'n dalld, Jan. Ella sa'n well i ni …"

Rhywbeth yng ngoslef ei lais wnaeth i Joyce afael yn ei law a'i arwain i gyfeiriad drws y ffrynt.

Roedd pen Joyce yn troi ar ôl yfed y ddau wydraid cynta o win. Pan ofynnodd hi am wydraid, doedd hi ddim wedi meddwl y byddai Marc yn dod â gobled fawr gron iddi, wedi'i llenwi i'r ymylon.

Roedd y fflat yn daclus, yn anarferol o daclus, bron, am ddyn oedd yn byw ar ei ben ei hun. Ceisiodd Joyce edrych am lun personol, unrhyw beth fyddai'n gosod Marc mewn cyd-destun ehangach rhywsut: ei lun efo'i frawd a'i chwaer, falla; yn rhan o griw o ffrindia; yn dyner efo'i dad a'i fam … ei lun yn bumlwydd gwelw, hyd yn oed … Ond doedd 'na ddim byd, ddim hyd yn oed lluniau ar y wal fyddai'n rhywfaint o arwydd o'i chwaeth. Yn y gegin fechan oedd yn rhan o'r stafell fyw, roedd 'na un poster o'r deryn Guinness hwnnw, a dyna fo.

Ar y llawr mewn un cornel o'r stafall fyw, roedd 'na fag chwaraeon hir, wedi'i lenwi i'r ymylon nes fod dillad yn gorlifo allan ohono ar y llawr, fel chwydfa amryliw.

Roedd ei gusan yn feddal, yn felys efo'r gwin. Doedd hi ddim isio'i gusanu fel hyn ar y dechrau, a thynnodd yn ôl a phlannu cusan ddiplomataidd ar ei foch. Ond roedd yr edrychiad-llo-bach yn ei lygaid yn deffro rhywbeth y tu mewn iddi, yn gneud iddi fod isio mygu pob ansicrwydd, cusanu popeth ymaith fel mai'r unig beth oedd yn bwysig oedd symudiad gwefus ar wefus. A phan drodd y cusanu'n fwy nwydus, yn fwy angerddol, roedd fel petai'r gwin ar wefusau ac ar dafodau'r ddau ohonyn nhw wedi asio efo'i gilydd i wneud coctêl peryglus o gry. Tynnodd Joyce oddi wrtho.

"Un rhyfadd w't ti …" meddai'n bryfoclyd, a dechrau cerdded o gwmpas y stafell.

"Rhyfadd?" medda fo, ac roedd ei lais yn dew.

"Ia … Ti'm yn coelio mewn deud dim byd amdanat ti dy hun … Rhannu dy gyfrinacha …"

"Be sy 'na i ddeud? Dwi yma, dydw? Efo chdi?"

"Ia, ond *pwy* sydd yma efo fi, Marc? Efo pwy dwi'n rhannu'n *omelette* heno? Pwy wyt ti 'di wahodd i fyny i dy fflat ...?"

Roedd y gwin yn ei gneud hi'n feiddgar. Meddyliodd mewn fflach am Ian a'r botel wisgi oedd byth ymhell iawn o'i afael. Doedd Joyce ddim yn yfed rhyw lawer, ond roedd Jan yn cael blas garw arno ...

Trodd Joyce o edrych ar y bagaid o ddillad a chyfarfod wyneb Marc yn agos ati.

"Ella mod i'n rhywun gwahanol i'r hyn ti'n feddwl ...?" meddai'n gellweirus wrtho.

"Ti'n ddynes gyffredin, medda chdi ..."

"Cyffredin o anghyffredin ... Anghyffredin o ..."

Mygwyd ei geiriau gan ei gusan. Roedd ei phen yn troi go iawn rŵan. Doedd hi erioed wedi blasu gwin oedd yn cael y ffasiwn effaith ... Oedd yn gneud iddi deimlo mor chwil mor sydyn ... Dechreuodd brotestio, gan deimlo'n sâl yn sydyn iawn, yn sâl ac isio eistedd a chael gwydraid o ddŵr, isio i hyn i gyd ddigwydd yn wahanol.

"Marc ..." meddai o'r diwedd wrth gael cyfle i rwygo oddi wrtho. "Marc, ma' hyn yn rhy sydyn ... Dwi'm isio ..."

Gafaelodd ynddi eto, ei freichiau'n dynnach amdani y tro hwn, ei wefusau'n galetach ac yn ddigyfaddawd.

"Na!" meddai Joyce, a'i chalon yn pwnio. "Na! Dwi'n mynd adra rŵan, Marc. Gad i mi fynd, gad i mi fynd, plîs!"

Chafodd hi 'run rhybudd o'r gelpan gynta. Trawodd hi ar ochr ei hwyneb efo'i ddwrn gan neud iddi golli'i chydbwysedd a glanio ar y soffa. Cododd ei phen yn syth ac edrych yn syn arno, fel tasa 'na ryw rym arallfydol wedi dŵad rhyngddyn nhw ac wedi'i thaflu fel doli glwt ar y soffa. Ond nid grym arallfydol oedd yn gneud iddo fo edrych fel'na arni – fel tasa hi islaw pob sylw, islaw pob parch.

"Marc ... be ti'n ...?"

Gallai deimlo'i boer cynnes yn gwau ei ffordd yn ara deg bach i lawr ei boch. Yn reddfol, dechreuodd Joyce daenu cefn ei llaw dros ei boch er mwyn sychu'r poer i ffwrdd, ond fe wnaeth y weithred fach hon Marc yn gandryll. Gafaelodd yn ei llaw a'i thaflu oddi wrth ei hwyneb, fel tasa fo'n trio taflu braich dol i ben pella'r stafell.

"Ast!" medda fo. "Bitsh fach bryfoclyd!"

Roedd o wedi gafael yn ei gwallt rŵan, ac yn dal ei phen mor agos ato fel nad oedd hi'n gallu troi i'r chwith nac i'r dde.

"Dangos dy din a dy frestia i mi ers wthnosa, a ddim yn meddwl mod i'n disgwyl dim byd yn ôl?"

"Ond ...!"

Roedd ei phen yn gwingo, yn pigo yn yr uniad rhwng croen a blewyn, yn gweiddi allan ... Ond doedd o ddim am roi'r gorau iddi. Doedd o ddim yn fodlon eto.

"Palu c'lwydda! Ti'n meddwl mod i heb weld y posteri rownd y lle efo dy ffycin wynab di arno fo? Dy wallt yn hirach, dwi'm yn deud, lliw gwahanol, yn fengach nag w't ti rŵan ... Ond chdi 'di hi! Jan! Joyce w't ti, de? Joyce Parry – missing! 'Di rhedag i ffwrdd! Be oedda chdi'n ddisgw'l ga'l, e? Dipyn o gyffro! Dipyn o hon, ia? Ia?"

Clywodd Joyce sŵn sip yn agor; tynnodd Marc un law oddi ar ei gwallt a dechrau ffidlan efo belt ei drowsus.

"Gyd 'run fath, dydach? Lle bynnag yr ei di, ma 'na wastad ryw hen hwran fatha chdi yn meddwl bod 'i Phrins Charming hi 'di cyrradd! Ac yn rhedag i ffwrdd wedyn a gweiddi 'i bod hi 'di ca'l 'i cham-drin!"

Drwy'r niwl fe deimlodd Joyce ei hun yn trio codi i redeg am y drws. Fe setlodd yr ail gelpan ei chynllunia hi ar ei ben.

"Sa neb yn rhedag o 'ma heb ga'l croeso, nago's? Dipyn o ecseitment ...! Dyna ti isio, de? Drw' redag i ffwrdd oddi wrth dy ŵr ... Dipyn o hon!"

Doedd gan Joyce ddim syniad o ble daeth ei nerth. Na sut y llwyddodd i sefyll ar ei thraed ac anelu ei chic yn ddigon cywir i beri i Marc gwympo yn ei ddyblau mewn poen ...

Rhedodd i lawr y grisiau'n droednoeth, gan glywed taranu cynddeiriog Marc yn ei fflat yn mynd yn bellach ac yn bellach i ffwrdd gyda phob cam.

Pennod 23

Ian

"Dyma ni!"

Doedd Ian ddim yn siŵr iawn be oedd o'n ddisgwyl. Ac eto, am ryw reswm, y llun oedd yn mynnu gwthio i'w feddwl drwy'r amser oedd llun rhyw fwthyn bach to gwellt wedi'i wasgu rhwng adeiladau mawr smart. Llun hurt.

Doedd o rioed 'di dychmygu y byddai Joyce yn dod i fyw, neu i ffonio o leia, i stryd fach gul mor flêr a budur â hon. Roedd gweld olion sbwriel yn glynu mewn corneli'n beth eitha cyffredin mewn dinas, ac eto roedd 'na ryw naws dlodaidd i Moore Street, oedd yn wahanol i'r Dulyn goludog roedd Ian wedi'i weld hyd yn hyn. Daeth rhyw hen filgi tena heibio iddyn nhw, a mynd ar ei union i fusnesu gydag angerdd mewn bin sbwriel. I le fel hyn oedd Joyce 'di dŵad? Oedd lle fel hyn yn well na bod efo fo?

Aeth i mewn i'r ciosg ar ei ben ei hun. Roedd y lle'n drewi, a phaced o tsips oer wedi hanner eu bwyta yn ornament ar y silff fechan drws nesa i'r ffôn. Roedd amball i gardyn gyda silwét o ddynas noeth yn addurno'r wal fetel. "LOVING LAVINIA IS WAITING FOR YOUR CALL ..."

Daeth allan o'r blwch reit sydyn, a rhyw deimlad gwag y tu mewn iddo. Caeodd ei law am y botel chwart yn ei boced.

"Ian!"

"Sori ..."

"Yli, dwi'm yn dalld pam na gysylltwn ni efo'r Garda rŵan bod ni 'di cyrra'dd. Deud bod ni yma, rhag ofn bo nhw isio ca'l gafa'l ..."

"Na!"

Roedd 'na ormod o blydi awdurdod wedi bod yn yr holl hanas hyd yma fel oedd hi. Siwtia smart a lleisia swyddogol, pobol doedd o ddim yn eu nabod yn ei alw fo'n Ian, fel 'san nhw isio bod yn nes ata fo, cogio bach. Protocol a systemau. Pob dim fel tasan nhw'n gyrru Joyce a Mali ymhellach, yn hytrach na'u dwyn nhw'n nes ato fo.

Nid mewn labordy oedd o i fod i ddŵad i wbod pwy oedd 'i hogan fach o. I wbod pwy oedd hi drwy arbrofi ar 'i hesgyrn bach hi. Roedd y petha gora'n sleifio o afael ffeithia moel, yn fwy na nhw. A fydda'r holl wybodaeth yn y byd am Joyce ddim yn egluro iddo fo y gwir reswm pam yr aeth hi oddi wrtho heb air.

Roedd Rhian yn edrych yn flin arno. Neu'n fwy siomedig na blin, efallai. Falla mai'r daith oedd yn gyfrifol am y cylchoedd duon dan ei llygaid. Roedd teithio wastad yn sugno egni rhywun, hyd yn oed rhywun mor ifanc â Rhian. Ond roedd 'na rywbeth arall yn ei llygaid hi 'fyd. Heblaw ei fod o'n ei gwylio hi mor agos, roedd o'n siŵr y bydda hi'n edrych ar ei wats neu'n mynd i ffonio'r blydi Guto 'na oedd hi mor hoff ohono fo yn y *Journal*, a deud: "Dim byd, bòs. Wast ar amsar ..."

Be oedd o'n ddisgwyl gin hogan ugain oed oedd yn trio gneud joban o waith? Roedd hi 'di bod yn dda efo fo, yn well nag oedd raid iddi fod er mwyn llenwi colofn papur newydd. Ond rŵan eu bod nhw yma, yn sefyll y tu allan i'r ciosg ffôn oedd i fod i gynnig atab, roedd y daith ar ben rhywsut, yn doedd hi? Roeddan nhw'n dal i ddilyn y map, ond doedd ganddyn nhw ddim syniad lle oeddan nhw go iawn.

"Be rŵan?" medda hi, ac edrych arno fel petai'r ateb ganddo fo.

Pennod 24

Joyce

Doedd dim ots ganddi pwy oedd yn sbio arni wrth i'w thraed noeth guro'n erbyn y palmentydd. Roedd pobol yn cychwyn allan o'u tai yn eu dillad nos Wenar mewn clystyrau o ffrindiau, neu fesul un neu ddau. Daliodd edrychiad amball un wrth iddi ruthro heibio iddyn nhw, ond ofynnodd neb iddi a oedd hi'n iawn. Nid nos Wener oedd yr amser i ofyn am help neb. Noson mynd allan a mwynhau oedd nos Wener.

Doedd ganddi 'run syniad chwaith i ble oedd hi'n mynd, ond fe wyddai fod yn rhaid iddi ddianc cyn belled oddi wrth fflat Marc ag oedd bosib iddi neud. Ar un adeg, dychrynodd o feddwl ei bod wedi dyblu 'nôl ar ei thaith ei hun pan welodd ddrws ffrynt debyg i'r drws oedd yn arwain i fflat Marc. Fferrodd ei chalon am eiliad, gan feddwl ei bod hi wedi rhedeg yn syth yn ei hôl i ffau'r llewod eto. Ond gyda rhyddhad sylwodd ar y planhigyn mawr gosgeiddig y tu allan i'r drws hwn, a'r llenni efo lluniau clown arnyn nhw.

Mi fydda'r siom am Marc yn cilio toc. Fel pob siom arall. Roedd hi wedi gofyn amdani ella. Doedd hi'n gwybod dim byd amdano ac roedd Mags wedi pwysleisio bod angen cadw hyd braich efo cwsmeriaid y caffi. Doedd hi ddim wedi gwrando arna i.

"Ti'n syrfio lot mwy na panad o de i'r diawlad trist …" Dyna oedd Mags wedi'i ddeud am y rheiny oedd yn llyffanta byth a beunydd yn y caffi tra oedd gweddill y byd yn byw. "Ond cadwa di dy hun yn ôl …"

Ond roedd Marc wedi bod yn wahanol rhywsut, ac roedd hyd yn oed Mags fel petai hi'n falch o'i weld yn cymryd diddordeb yn Joyce. Roedd o'n ddoniol, yn glên ac yn olygus. Yn edrych arni fel tasa fo'n medru cynnig pob dim iddi. Ac roedd hithau wedi syrthio i'w drap.

Roedd ei phen yn dal i frifo a chlawr ei llygad dde yn

dechrau chwyddo. Ond ymlaen roedd hi'n mynd, a blas hallt y gwaed yn ei cheg yn dechra dod yn flas cyfarwydd. Od fel roedd hi'n gallu arfer efo pethau. Efo'r gwingo a'r celpio a chael ei chloi mewn stafell dywyll gan ei mam, a'r cyrtans 'di cau rhag ofn i bobol drws nesa fusnesu. Sori, Mam. Sori, sori, sori. A Mali fach wedyn. Mali fach annwyl oedd yn gneud dim mwy na bod yn ferch fach ... Sori Mali, sori Mam. Sori Mali fach, fy nghariad gwyn i ... Roedd 'na gymaint ganddi i neud yn iawn amdano ... Chwip din oedd yn gada'l marc coch cynddaredd, sgwd fach oedd yn fwy egar nag oedd hi 'di'i fwriadu, llygaid Mali fach fel soseri ...

"Sori, Mam ..."

Ond roedd gan Joyce flynyddoedd o ddifaru a gneud yn iawn am betha i Mali, doedd? Doedd y beth fach ddim i fod i ddiflannu fel'na un pnawn heulog; diflannu heb roi cyfle i Mami neud pob dim yn iawn ...

Siaced Ian nabododd hi gynta; yr hen siaced fawr flêr llawn pocedi honno oedd Joyce wedi bygwth droeon mynd â hi i'r siop elusen. Y pocedi oedd yn llawn i'r ymylon o newid mân a pholo mints wedi dechra magu blew.

Sefyll oedd o, tu allan i drws nesa, prin bum llath o'r lle'r oedd hi'n byw, prin hannar canllath o'r blwch ffôn. Edrychodd eto'n iawn arno. Roedd y siaced 'na'n edrach yn rhy fawr o lawer amdano, meddyliodd Joyce. Roedd ei wyneb hefyd yn hŷn nag oedd hi'n gofio prin ddeufis yn ôl, a'r croen wedi trymhau am ei ruddiau.

Fe gymerodd Joyce gwpwl o eiliadau i sylweddoli nad oedd o ar ei ben ei hun. Roedd y ferch â'i chefn ati, a'i gwallt wedi'i sgubo'n gocyn ar ei phen. I ddechra roedd Joyce wedi meddwl mai rhywun yn disgwyl am lifft gan gariad oedd hi, neu rhywun oedd wedi trefnu i gyfarfod rhywun yn y stryd fach flêr ac olion marchnad y diwrnod yn britho'r lle.

Ond pan welodd Ian yn troi at y ferch a siarad efo hi, doedd dim dadl eu bod yn nabod ei gilydd yn barod. Roedd osgo'r ddau yn gyfforddus, a symudiadau'r ddau yn ddrychau i'w gilydd.

Syllodd Joyce arni'n ymbalfalu yn y bag strap hir oedd ganddi dros ei hysgwydd. Gwelodd Ian yn edrych yn ôl ar y llawr, yn gwthio'i ddwylo'n ddyfnach fyth i mewn i'r pocedi. Gallai Joyce deimlo croen tyner ei phen yn dechra gwingo eto.

Pennod 25

Ian

"Fydda i ddim dau funud," medda Rhian, wrth ymbalfalu yn ei bag am y camera.

"Dau funud ..."

Doedd Ian ddim wir isio iddi dynnu llun ohono, ond roedd hi wedi bod yn dda wrtho drwy hyn i gyd. Roedd hi wedi tyfu'n fwy na gohebydd yn dilyn trywydd stori, roedd o'n siŵr o hynny. Y peth lleia allai yntau neud oedd cytuno i roi ecscliwsif iddi. "ONE MAN'S HUNT FOR MISSING WIFE" neu hyd yn oed "GRIEVING FATHER'S TRAGIC QUEST" neu rywbeth tebyg. Fe fyddai'r llun yn cwblhau'r erthygl iddi, yn bydda? Yn clymu pob dim yn dwt.

Ond doedd pethau ddim yn dwt, dyna'r broblem. Os mai dyna oedd diwedd ei ymgais i ddŵad o hyd i Joyce, nid hyn oedd diwedd eu stori nhw fel teulu.

"Jesd sbia at y camera am funud, Ian ... a sbia heibio iddo fo ... fel 'na ... 'Na chdi ..."

Safodd Ian a theimlo'n wirion yn sefyll yno, ar stryd fach flêr, yn sbio i lens camera hogan ifanc. Fe'i trawyd yn sydyn iawn gan hurtrwydd y sefyllfa. Fe gododd amball i berson eu pennau wrth basio; codi bawd wnaeth ryw hen ŵr oedd newydd ddŵad allan o'r siop fetio fach siabi. Falla 'i fod o'n gobeithio y byddai'n cael eu anfarwoli mewn albwm lluniau yn rhywle. Cynta'n byd gora'n byd y byddai Rhian yn clicio'r blydi botwm 'na. Doedd Ian ddim isio ymestyn hyn ddim mwy nag oedd raid!

Ac yna, wrth sbio i gyfeiriad y camera, fe'i gwelodd hi. Roedd hi'n syllu arno, yn sefyll yn stond ac yn syllu'n syth ato, nid efo chwilfrydedd ysgafn y bobol oedd yn mynd heibio ar eu hynt, ond yn syllu arno fo fel tasa dim byd arall o gwmpas yn cyfri. Joyce oedd hi, yn deneuach a'i gwallt yn wahanol, ond Joyce 'run fath. Joyce!

"Joyce!"

Mewn eiliad cafodd Joyce yr ysfa i droi a rhoi un droed waedlyd o flaen y llall nes ei bod wedi mynd o'r golwg, rhedeg i ffwrdd a diflannu rownd cornel fel nad oedd hi'n gorfod dŵad wyneb yn wyneb efo pob dim. Diflannu a gadal argraff o ffrog biws ar ei hôl ...

Ond pan welodd Ian yn cerddad tuag ati a'i freichia'n agorad fel'na, a'i lygad o arni hi ... Fedra hi ddim symud 'run gewyn. Roedd ei goflaid o fel menyn, a hithau'n suddo i mewn iddo. Gallai ogleuo melysder cyfarwydd y wisgi ar ei anadl. "Joyce!" meddai, ei lais yn dew gan deimlad. "Joyce fach ... Blydi hel! Be sy 'di digwydd? Pwy sy 'di gneud hyn i chdi, pwt?"

Ceisiodd ei ateb, ond doedd dim geiria'n dŵad allan. Roedd yna rywbeth yn ei gwddw oedd yn mygu pob dim. Roedd hi'n hanner ymwybodol o'r hogan ifanc 'na yn sgriblo rhywbeth mewn llyfryn poced, yn sgriblo'n wyllt fel tasa'i bywyd hi'n dibynnu ar fedru dal y geiria a'u sodro nhw ar ddu a gwyn. Cododd ei phen a gwenu ar Joyce fel tasan nhw'n nabod ei gilydd o rhywle. Gwên heb euogrwydd. Gwên y diniwed.

Edrychodd Joyce yn ôl ar Ian. Roedd golwg wedi ymlâdd arno, fel tasa fo heb gysgu am ddyddiau lawer. Roedd yn dal dwylo Joyce yn dynn, dynn, fel tasa fo o ofn iddi fynd oddi wrtho eto.

Teimlodd Joyce ei bod isio gafael ynddo a'i gysuro. "'Na ni ... 'na ni." Ond allai hi ddim estyn ato, ddim ynghanol stryd fach flêr mewn dinas doedd hi ddim yn perthyn iddi. Rhywsut, fe ffendiodd lais yn ddwfn o'r tu mewn iddi.

"Ddrwg gin i, Ian ..."

Dyna i gyd. Sŵn rhywun yn chwibanu. Cyfarthiad ci. Bloedd o gyfeiriad ras geffylau ar y bocs wrth i ddrws y siop fetio agor a chau. A daeth awel o rywle i sibrwd yn y sbwriel …

"Dim ond chdi …" meddai Ian wrthi. "Ma gin i gymaint dwi isio ddeud wrtha chdi … a dim ond chdi sy'n dalld …"

Ac roedd mor naturiol i Joyce wasgu'i law yn ôl a dechra cerddad efo fo oddi yno.